MIRA®

Cordina's Royal Family
*Eine königliche Affäre*

Entführt! Zwar gelingt der hübschen Prinzessin Gabriella de Cordina wie durch ein Wunder die Flucht, doch sie kann sich an die Umstände der Entführung nicht mehr erinnern. Besorgt beauftragt ihr Vater Fürst Armand auf Rat des Botschafters Francis MacGee dessen Sohn Reeve damit, Gabriella nicht aus den Augen zu lassen. Reeve, der sich nach einer spektakulären Karriere bei der Polizei und dem Geheimdienst eigentlich zurückziehen wollte, nimmt den Auftrag an. Nicht nur, weil er aufrichtig um Gabriellas Wohl besorgt ist. Sondern auch, weil er sich vor neun Jahren, als er der Prinzessin bei einem offiziellen Anlass zum ersten Mal begegnet ist, in sie verliebt hat ...

*Nora Roberts*

Cordina's Royal Family
„Eine königliche Affäre"
Roman

Aus dem Amerikanischen von
Roy Gottwald

MIRA® TASCHENBUCH
Band 25029
1. Auflage: November 2002
2. Auflage: Januar 2003
3. Auflage: März 2003

MIRA® TASCHENBÜCHER
erscheinen in der Cora Verlag GmbH & Co. KG,
Axel-Springer-Platz 1, 20350 Hamburg
Deutsche Taschenbucherstausgabe

Titel der nordamerikanischen Originalausgabe:
Affaire Royal
Copyright © 1986 by Nora Roberts
erschienen bei: Silhouette Books, Toronto
Published by arrangement with
Harlequin Enterprises II B.V., Amsterdam

Konzeption/Reihengestaltung: fredeboldpartner.network, Köln
Umschlaggestaltung: pecher und soiron, Köln
Titelabbildungen: The Image Bank, München/pecher und soiron, Köln
Autorenfoto: © by Harlequin Enterprise S. A., Schweiz
Satz: Berger Grafikpartner, Köln
Druck und Bindearbeiten: Elsnerdruck, Berlin
Printed in Germany
ISBN 3-89941-037-8

www.mira-taschenbuch.de

## 1. Kapitel

*S*ie hatte vergessen, warum sie so rannte. Sie wusste nur, dass sie nicht anhalten durfte. Denn wenn sie stehen blieb, war sie verloren. In diesem Rennen gab es nur zwei Plätze – den ersten und den letzten.

Abstand. Ihr einziger Gedanke war weiterrennen, vorwärts kommen, damit die Entfernung zwischen ihr und ... dem, wo sie gewesen war, groß genug sein würde.

Sie war durchnässt bis auf die Haut. Der Regen strömte auf sie herab, aber sie erschrak nicht mehr bei jedem Donnerschlag, und sie zuckte nicht mehr bei jedem grellen Blitz zusammen. Sie fürchtete nicht die Dunkelheit. Wovor sie eigentlich Angst hatte, wusste sie selbst nicht mehr genau; doch sie war von ihrer Angst geradezu besessen. Dieses Gefühl ließ sie weiter den Straßenrand entlangstolpern, obwohl sie völlig erschöpft war. Wie sehr sehnte sie sich danach, an einem warmen, trockenen Ort zur Ruhe zu kommen.

Sie hatte keine Ahnung, wo sie sich befand. Sie wusste nicht, wo sie gewesen war. Sie erinnerte sich weder an die hohen, im Winde schaukelnden Bäume noch an das Tosen des nahen Meeres. Kaum nahm sie den Duft der regennassen Blumen wahr, die sie auf ihrer Flucht zertrat.

Sie weinte, ohne sich dessen bewusst zu sein. Ihre Sinne waren völlig benommen, und sie fühlte sich unsicher auf den Beinen. Es wäre ein Leichtes gewesen, einfach unter einem der Bäume Schutz zu suchen und aufzugeben. Aber irgendetwas trieb sie weiter. Dieses Etwas war jedoch nicht allein die Angst, nicht allein ihre Verwirrung. Es war eine innere Kraft, die sie über das Menschenmögliche hinaustrieb. Sie würde nicht dorthin zurückkehren, woher sie kam. Es blieb ihr keine andere Wahl, als vorwärts zu laufen.

Sie hatte keine Vorstellung, ob sie eine Meile oder zehn hinter sich gebracht hatte. Der Regen und ihre Tränen machten sie blind. Die Lichter hatten sie beinahe schon erfasst, ehe sie sie überhaupt wahrnahm.

Wie ein von Scheinwerfern geblendetes Tier blieb sie voller Panik auf der Stelle stehen. Jetzt hatten sie sie gefunden. Sie hatten sie verfolgt. Sie.

Eine Hupe kreischte auf, Räder quietschten. Völlig erschöpft brach sie schließlich bewusstlos auf der Straße zusammen.

„Sie kommt zu sich."

„Dem Himmel sei Dank."

„Bitte treten Sie einen Moment zurück, und lassen Sie mich die Frau untersuchen. Sie könnte wieder das Bewusstsein verlieren!"

Wie durch schwebende Nebel vernahm sie die Stimmen. Hohl und aus der Ferne. Angst überkam sie erneut. Selbst in ihrem halb bewusstlosen Zustand hielt sie den Atem an. Sie war nicht entkommen, doch sie wollte sich ihre Furcht nicht anmerken lassen. Das versprach sie sich.

Als sie weiter zu Bewusstsein kam, ballte sie ihre Hände fest und energisch zu Fäusten. Der Druck ihrer Finger gab ihr ein wenig das Gefühl von Selbstsicherheit und Kontrolle.

Langsam öffnete sie die Augen. Die Nebel rissen auf, wallten zurück und verschwanden dann langsam. Als sie in das Gesicht starrte, das über sie gebeugt war, schwand auch ihre Furcht.

Es war ein ihr unbekanntes Gesicht. Er gehörte nicht zu ihnen. Das hätte sie bestimmt gewusst. Ihr Vertrauen wankte einen Moment lang, aber sie verhielt sich ruhig. Es war ein rundes, angenehmes Gesicht mit einem gestutzten, lockigen weißen Bart. Der glatte, kahle Kopf stand dazu in auffallendem Kontrast. Der Blick aus den müden Augen war scharf, aber nicht unfreundlich. Schließlich ergriff der Mann ihre Hand. Sie wehrte sich nicht.

„Meine Liebe", sagte er mit angenehmer, dunkler Stimme. Zärtlich streichelte er ihre Finger, bis ihre Hand sich entspannte. „Sie sind jetzt in Sicherheit."

Sie spürte, wie er ihren Puls maß, und sie sah ihm weiter in die Augen.

In Sicherheit.

Immer noch auf der Hut, wandte sie ihren Blick von ihm ab. Krankenhaus.

Obwohl das Zimmer fast elegant und recht groß war, wusste sie, dass sie sich in einem Krankenhaus befand. Der starke Geruch von Blumen und Antiseptika erfüllte den Raum. Und dann sah sie den Mann, der direkt an der Seite ihres Bettes stand.

Er hatte eine militärisch aufrechte Haltung und war makellos gekleidet. Graue Strähnen durchzogen sein Haar, das dennoch dunkel und voll war. Er hatte ein schmales, aristokratisches Gesicht. Dieses Gesicht ist ernst, dachte sie, aber bleich, sehr bleich, besonders gegen die Schatten unter seinen Augen. Trotz der Haltung und der perfekten Kleidung machte er den Eindruck, als hätte er seit Tagen nicht geschlafen.

„Mein Liebes." Seine Stimme zitterte, als er sich zu ihr hinabbeugte, um ihre freie Hand zu ergreifen. Er wirkte tief besorgt und presste ihre Finger an seine Lippen. Sie hatte den Eindruck, als bebe diese starke, feste Hand ein wenig. „Jetzt haben wir dich wieder, mein Liebes. Du bist wieder da."

Sie zog ihre Hand nicht zurück, sondern ließ sie

matt in der seinen liegen und betrachtete erneut sein Gesicht. „Wer sind Sie?"

Der Mann fuhr entsetzt zurück. Mit Tränen in den Augen starrte er sie an. „Wer ..."

„Sie ist sehr schwach." Freundlich unterbrach der Arzt ihn.

Sie sah, wie er seine Hand auf den Arm des Mannes legte, ob mit einer einhaltenden oder tröstenden Geste, konnte sie nicht beurteilen. „Sie hat viel durchgemacht. Eine anfängliche Verwirrung ist da ganz natürlich."

Aus dem Liegen beobachtete sie den Arzt, der dem anderen Mann bedeutungsvolle Blicke zuwarf. Plötzlich spürte sie bohrende Übelkeit im Magen, und ihr wurde bewusst, dass sie im Warmen und Trockenen war. Sie fühlte sich warm, trocken und leer. In ihrem Inneren herrschte eine große Leere. Als sie wieder sprach, klang ihre Stimme überraschend kräftig.

„Ich weiß nicht, wo ich bin." Unter der Hand des Arztes beschleunigte sich ihr Puls kurz, beruhigte sich jedoch gleich. „Ich weiß nicht, wer ich bin."

„Sie haben Schlimmes durchlitten, meine Liebe." Der Doktor sprach beruhigend auf sie ein, doch seine Gedanken wirbelten durcheinander. Wir brauchen einen Spezialisten, dachte er. Wenn sie nicht innerhalb der nächsten vierundzwanzig Stunden ihr Gedächtnis wiederfindet, dann brauchen wir einen ausgezeichneten Spezialisten.

„Du erinnerst dich an nichts?" Der andere Mann hatte sich bei ihren Worten aufgerichtet. Jetzt sah er in seiner gefassten Haltung direkt auf sie herunter.

Verwirrt und bemüht, ihre Furcht zu unterdrücken, versuchte sie, sich aufzusetzen, doch der Arzt sprach beschwichtigend auf sie ein und drückte sie wieder zurück in die Kissen.

Sie erinnerte sich ... Sie rannte, der Sturm, die Dunkelheit. Vor ihr tauchten Lichter auf. Fest schloss sie die Augen und bemühte sich um Haltung. Als sie die Augen wieder öffnete, klang ihre Stimme zwar immer noch fest, aber seltsam hohler. „Ich weiß nicht, wer ich bin. Bitte sagen Sie es mir."

„Erst, wenn Sie sich noch ein wenig mehr ausgeruht haben", begann der Doktor. Der andere Mann unterbrach ihn mit einem stechenden Blick. Sie schaute kurz zu ihm hin und bemerkte, dass dieser Blick arrogant und zugleich befehlsgewohnt war.

„Du bist meine Tochter", erklärte er. Wieder nahm er ihre Hand und hielt sie fest. Sogar das leichte Zittern war nicht mehr da. Du bist Prinzessin Gabriella de Cordina."

Ist das ein Albtraum oder ein Märchen? fragte sie sich und starrte zu ihm hinauf. Mein Vater? Prinzessin?

Cordina … Ihr war, als erkenne sie den Namen, und sie klammerte sich daran. Aber was bedeuteten diese Worte über die adelige Herkunft?

Sie konnte mit diesen Informationen nichts anfangen und sah ihm weiter ins Gesicht. Dieser Mann würde nicht lügen. Sein Gesicht war ausdruckslos, doch seine Augen spiegelten so viel innere Bewegung wider, dass sie sich selbst ohne Erinnerungsvermögen zu ihm hingezogen fühlte.

„Wenn ich eine Prinzessin bin", begann sie, und die spröde Zurückhaltung ihres Tonfalls verletzte ihn offensichtlich, was an seinem Mienenspiel zu erkennen war. „Sind Sie dann ein König?"

Fast hätte er gelächelt. Vielleicht hatte der Schock ihre Erinnerung durcheinander gebracht, aber sie war noch immer seine Brie. „Cordina ist ein Fürstentum. Ich bin Fürst Armand. Du bist mein ältestes Kind und hast zwei Brüder, Alexander und Bennett!"

Vater und Brüder. Eine Familie, Wurzeln. Nichts rührte sich in ihr. „Und meine Mutter?"

Diesmal war sein Ausdruck leicht zu deuten: Trauer. „Sie starb, als du zwanzig Jahre alt warst. Seit damals bist du die erste Dame des Staates, die ihre Pflichten zusammen mit deinen eigenen wahrgenommen hat. Brie." Sein Tonfall war jetzt weniger förmlich. „Wir nennen dich ,Brie'." Er drehte ihre Hand um, so dass die Traube aus Saphiren und Diamanten an ihrem Finger sie anstrahlte. „Ich habe dir das hier zu deinem einundzwanzigsten Geburtstag geschenkt, vor fast vier Jahren!"

Sie betrachtete den Ring und die starke, schöne Hand, die ihre eigene hielt. Sie erinnerte sich an nichts, und doch empfand sie Vertrauen. Erneut sah sie ihn an und brachte ein kleines Lächeln zu Stande. „Sie haben einen ausgezeichneten Geschmack, Eure Hoheit."

Er lächelte, aber sie hatte den Eindruck, als wäre er den Tränen gefährlich nahe. So nahe wie sie selbst. „Bitte", begann sie um ihrer beider willen, „ich bin sehr müde."

„Ja, wirklich." Der Arzt streichelte ihre Hand, so wie er es seit dem Tag ihrer Geburt getan hatte. Das wusste sie allerdings nicht. „Jetzt ist Ruhe die beste Medizin."

Widerstrebend ließ Fürst Armand die Hand seiner Tochter los. „Ich bleibe in der Nähe."

Ihre Kräfte schwanden wieder. „Vielen Dank." Sie hörte die Tür ins Schloss fallen, spürte jedoch die Nähe des Doktors. „Bin ich wirklich eine Prinzessin, wie er behauptet?"

„Niemand weiß das besser als ich." Er strich ihr voller Zuneigung über die Wange. „Ich habe Sie zur Welt gebracht, im Juli vor fünfundzwanzig Jahren. Sie müssen jetzt ruhen, Eure Hoheit, nur ausruhen."

Fürst Armand ging mit schnellem, energischem Schritt den Korridor hinunter. Ein Mitglied der fürstlichen Garde folgte ihm mit zwei Metern Abstand. Er wollte allein sein. Wie sehr sehnte er sich nach fünf Minuten Alleinsein in einem abgeschiedenen Raum. Dort konnte er etwas von der inneren Spannung loswerden, etwas von den Gefühlen, die ihn überwältigten. Beinahe hätte er seine Tochter, seinen Schatz, verloren. Und jetzt da er sie wiederhatte, betrachtete sie ihn wie einen Fremden.

Wenn er herausfände, wer ... Armand schob den Gedanken beiseite. Das konnte warten, sagte er sich.

In dem geräumigen, sonnendurchfluteten Aufenthaltsraum befanden sich drei weitere fürstliche Gardisten und verschiedene Mitglieder des Polizeihauptquartiers von Cordina. Alexander, sein Sohn und Thronerbe, schritt rauchend auf und ab. Er hatte die attraktive Erscheinung seines Vaters und dessen militärische Haltung. Allerdings fehlte ihm noch die Selbstkontrolle des Fürsten.

Er ist wie ein Vulkan, dachte Armand, und betrachtete den dreiundzwanzigjährigen Prinzen. Er kocht und brodelt, bricht aber noch nicht aus.

Auf dem gemütlichen, pastellfarbenen Sofa lag Bennett. Mit seinen zwanzig Jahren war er drauf und dran, der neueste Playboy-Prinz zu werden. Obwohl er ein dunkler Typ wie sein Vater war, hatte er das Aussehen von seiner hinreißend schönen Mutter geerbt. Manchmal ruhelos und viel zu oft indiskret, verfügte er doch über eine unermüdliche Anteilnahme und Freundlichkeit, die ihn bei seinen Untertanen sowie bei der Presse beliebt machten. Und ebenso bei der weiblichen Bevölkerung Europas, dachte Armand trocken.

Neben Bennett saß ein Amerikaner, der sich auf Armands Bitte hin dort eingefunden hatte. Beide Prinzen waren viel zu sehr mit ihren eigenen Gedanken beschäftigt, um die Anwesenheit ihres Vaters zu bemerken. Dem Amerikaner dagegen entging nichts. Aus diesem Grunde hatte Armand ihn zu sich rufen lassen.

Reeve MacGee blieb eine Weile ruhig sitzen und musterte den Fürsten. Er hält sich gut, dachte Reeve, aber ich habe auch nichts anderes erwartet.

Der Amerikaner hatte das Staatsoberhaupt von Cordina nur wenige Male getroffen, aber sein Vater war in Oxford mit Fürst Armand zusammen gewesen. Aus der Zeit stammte die Freundschaft, die so viele Jahre und die größte Entfernung überdauert hatte.

Armand wurde der Herrscher des kleinen, malerischen Staates an der Mittelmeerküste. Reeves Vater wurde Diplomat. Obwohl er selbst auch in politischen Kreisen aufgewachsen war, hatte Reeve für sich selbst eine Karriere gewählt, die sich mehr hinter den Kulissen abspielte.

Nach zehn Jahren Beschäftigung beim Geheimdienst hatte Reeve eine Kehrtwendung gemacht und ein eigenes Unternehmen gestartet. In seinem Leben war der Zeitpunkt gekommen, wo er es leid war, den Anordnungen anderer Leute zu folgen. Seine eigenen Regeln waren zwar oftmals noch viel strikter, noch unbeugsamer, aber es waren wenigstens seine eigenen. Die Erfahrungen, die er bei der Mordkommission und später bei einer Sondereinheit gemacht hatte, waren ihm sehr nützlich. Vor allem hatte er gelernt, zuerst seinem eigenen Instinkt zu vertrauen.

Er war in eine reiche Familie geboren worden. Durch seine eigenen Begabungen hatte er den Reichtum noch vermehrt. Früher hatte er seinen Beruf als Einkommensquelle und aufregende Tätigkeit angesehen. Doch jetzt arbeitete Reeve nicht mehr länger des Geldes wegen. Er nahm nur wenige Aufträge an, und dann stets ausgesuchte Fälle. Wenn, und wirklich nur wenn ihn eine Sache interessierte, akzeptierte er den Klienten.

Für die Außenwelt, und oft genug auch für sich selbst, war er jedoch nichts weiter als ein Farmer, und in diesem Bereich ohnehin ein Neuling. Vor weniger als einem Jahr hatte er sich eine Farm gekauft mit der

Überlegung und dem Traum, sich dorthin einmal zurückziehen zu können. Das war für Reeve die Lösung. Zehn Jahre zwischen Gut und Böse, zwischen Gesetz und Unrecht, und das Tag für Tag, waren genug für ihn.

Er sagte sich, er habe seine Pflicht erfüllt und schied aus dem Geheimdienst aus. Ein Privatdetektiv konnte seine Klienten auswählen oder ablehnen. Er konnte nach seinen eigenen Vorstellungen arbeiten und selber seine Honorare festlegen. Sollte eine Aufgabe ihn in Gefahr bringen, dann konnte er damit auf seine eigene Weise fertig werden.

Bereits im Jahr zuvor hatte er weniger und weniger Privataufträge angenommen. So zog er sich langsam aus dem Geschäft zurück. Wenn er Gewissensbisse hatte, dann wusste niemand davon außer ihm selbst. Die Farm bot ihm Abwechslung. Dort konnte er ein grundlegend anderes Leben führen. Eines Tages sollte sie sein ganzer Lebensinhalt werden, das hatte er sich vorgenommen.

Reeve sah eher wie ein Soldat als wie ein Farmer aus. Bei Armands Eintreten stand er auf. Dabei bewegte sich sein großer, kräftiger Körper geschmeidig, Muskel für Muskel. Über dem einfarbigen Hemd und den modischen Bundfaltenhosen trug er ein gut sitzendes Leinenjackett. Er brachte es stets fertig, seine Anzüge entweder formell oder bequem wirken zu lassen, je nachdem, was die Situation erforderte.

Er gehörte zu den Männern, deren Kleidung, gleich wie elegant sie auch war, immer hinter der Wirkung der Person zurückblieb. Zuerst zog sein Gesicht die Aufmerksamkeit auf sich, vielleicht des ebenmäßig guten Aussehens wegen, das er von seinen schottisch-irischen Vorfahren geerbt hatte. Durch häufigen Aufenthalt an der frischen Luft hatte er eine gebräunte Haut, obwohl er als Typ eher hellhäutiger war. Der perfekte Haarschnitt konnte nicht verhindern, dass ihm ständig eine widerspenstige Locke ins Gesicht fiel, und um seine Lippen spielte ein Lächeln.

Reeve hatte eine athletische Figur, und seine Augen strahlten in dem klaren Blau, das man oft bei den Iren findet. Wenn er wollte, bezauberte er mit seinem strahlenden Blick die Menschen um ihn ebenso, wie er sie damit einschüchtern konnte.

Seine Haltung war nicht ganz so straff wie die des Fürsten, eher auf eine lässige Weise amerikanisch. „Eure Hoheit."

Bei Reeves Worten sprangen sowohl Alexander als auch Bennett auf. „Brie?" riefen sie wie aus einem Mund. Bennett war sofort an der Seite seines Vaters, Alexander drückte seine Zigarette in einem Aschenbe-

cher aus. Reeve sah, wie sie dabei in viele Krümel zer-
bröckelte.

„Sie war bei Bewusstsein", berichtete Armand
knapp. „Ich konnte mit ihr sprechen."

„Wie geht es ihr?" Bennett sah seinen Vater mit
dunklen, besorgten Augen an. „Wann können wir sie
endlich sehen?"

„Sie ist sehr müde", sagte Armand und berührte
dabei flüchtig den Arm seines Sohnes. „Vielleicht
morgen."

Alexander blieb weiterhin am Fenster stehen. „Weiß
sie, wer ..." wollte er aufgebracht wissen.

„Das kann warten", unterbrach ihn sein Vater.

Alexander hätte am liebsten weitergesprochen, aber
er war zu gut erzogen. Er kannte die Regeln, die mit
seinem Titel verbunden waren. „Wir werden sie bald
nach Hause holen", sagte er leise, und es klang fast wie
eine Drohung. Rasch sah er hinüber zu den Gardisten
und Polizeibeamten. Gabriella mochte hier geschützt
sein, aber er wollte sie wieder daheim haben.

„So schnell wie möglich."

„Vielleicht ist sie noch erschöpft", begann Bennett,
„aber bald wird sie ein bekanntes Gesicht sehen wollen.
Alex und ich könnten hier warten."

Ein bekanntes Gesicht. Armand sah an seinem Sohn
vorbei zum Fenster hinaus. Für Brie gab es keine ver-

trauten Gesichter. Er würde es seinen Söhnen später erklären, wenn sie unter sich waren. Im Augenblick musste er die Rolle des Herrschers zu Ende spielen. „Ihr könnt gehen!" Seine Worte richteten sich an Alexander und Bennett. „Morgen wird sie sich weiter erholt haben. Jetzt muss ich mit Reeve sprechen." Er entließ seine Kinder ohne Geste. Da sie zögerten, hob er gebieterisch eine Braue.

„Hat sie Schmerzen?" wollte Alexander wissen.

Armands Blick wurde weicher, „Nein. Das verspreche ich dir. Du wirst es bald selbst feststellen können", setzte er hinzu, da Alexander eine unzufriedene Miene machte. „Gabriella ist stark!" Seine wenigen Worte lagen voller Stolz.

Alexander grüßte mit einem Kopfnicken. Was ihm noch am Herzen lag, würde er in einem privaten Augenblick äußern. In Begleitung seines Bruders verließ er den Raum, gefolgt von den Gardisten.


Armand sah seinen Söhnen nach, dann wandte er sich an Reeve. „Bitte", begann er und zeigte mit einer Geste zur Tür. „Gehen wir für einen Augenblick in Dr. Francos Büro!" Er ging den Korridor entlang, als bemerkte er die Wachtposten nicht. Reeve dagegen war sich ihrer Anwesenheit und der Anspannung, die von ihnen ausging, sehr wohl bewusst. Die Entführung eines Mitgliedes der fürstlichen Familie lässt die Leute nervös werden, dachte er. Armand öffnete eine Tür, wartete, bis Reeve eingetreten war, und schloss sie dann hinter ihm.

„Bitte, nehmen Sie Platz", forderte er ihn auf. „Ich ziehe es vor zu stehen." Armand griff in seine Tasche und zog ein Etui hervor, dem er eine Zigarette entnahm, eine von zehn, die er sich am Tag gestattete. Ehe er sie anzünden konnte, hatte Reeve ihm schweigend Feuer gegeben.

„Ich bin Ihnen dankbar, dass Sie gekommen sind, Reeve. Ich hatte bis jetzt noch keine Gelegenheit Ihnen zu sagen, wie sehr ich es zu schätzen weiß."

„Es besteht kein Anlass, mir dafür zu danken, Eure Hoheit. Bis jetzt habe ich noch nichts getan."

Armand atmete den Rauch aus. Jetzt, vor dem Sohn seines Freundes, konnte er sich ein wenig gehen lassen. „Sie denken, ich bin zu hart zu meinen Söhnen."

„Ich denke, Sie kennen Ihre Söhne besser als ich."

Armand lachte kurz auf und setzte sich dann. Sie haben das diplomatische Talent Ihres Vaters geerbt."

„Manchmal."

„Sie besitzen auch, wenn ich es richtig zu beurteilen vermag, seinen klaren und scharfen Verstand."

Reeve überlegte, ob sein Vater den Vergleich schätzen würde, und lächelte. „Vielen Dank, Eure Hoheit."

„Bitte, wenn wir allein sind, nennen Sie mich Armand." Zum ersten Mal seit seine Tochter das Bewusstsein wiedererlangt hatte, gab er seinen Gefühlen nach. Mit einer Hand massierte er sich die Stirn direkt über den Augenbrauen. Die Kopfschmerzen, die er schon seit einigen Stunden hatte, konnte er nun nicht mehr ignorieren. „Ich glaube, ich muss die Freundschaft zu Ihrem Vater durch Sie in Anspruch nehmen, Reeve. Aufgrund der Liebe zu meiner Tochter bin ich davon überzeugt keine andere Wahl zu haben!"

Reeve maß sein Gegenüber aufmerksam. Jetzt sah man mehr als nur königliche Haltung. Man sah den Vater, der sich verzweifelt um Beherrschung bemühte. Still nahm Reeve sich ebenfalls eine Zigarette, zündete sie an und ließ Armand ein paar Augenblicke Zeit. „Erzählen Sie mir."

„Sie erinnert sich an nichts."

„Sie kann sich nicht erinnern, wer sie entführt hat?" Mit einem düsteren Blick sah Reeve zu Boden. „Hat sie die Kerle überhaupt gesehen?"

„Sie erinnert sich an nichts", wiederholte Armand und hob dabei den Kopf. „Nicht einmal an ihren eigenen Namen."

Jetzt begriff Reeve die Schwierigkeit der Situation. Er nickte. Seine Miene verriet nicht im Mindesten, was in ihm vorging.

„Ich kann mir denken, dass ein zeitweiliger Gedächtnisverlust normal ist, nach all dem, was sie durchgemacht hat. Was sagt der Arzt?"

„Ich werde nachher mit dem Arzt sprechen!" Die Anspannung der letzten sechs Tage machte ihm deutlich zu schaffen, aber Armand bewahrte dennoch Haltung. „Sie sind gekommen, Reeve, weil ich Sie gebeten habe. Aber Sie haben mich bis jetzt noch nicht gefragt, warum!"

„Nein!"

„Als amerikanischer Staatsbürger sind Sie mir in nichts verpflichtet."

„Nein", sagte Reeve erneut.

Armand musterte den Amerikaner. Wie sein Vater, dachte er. Und wie seinem Vater konnte man Reeve MacGee Vertrauen schenken. Diesem Mann wollte er anvertrauen, was ihm das Liebste auf der Welt war. „In meiner Stellung muss man ständig mit einer Gefahr rechnen."

„Jeder Herrscher muss damit leben."

„Ja, und durch ihre Herkunft zwangsläufig auch die Kinder der Herrscher." Er sah eine Weile auf seine Hände und den kostbaren Siegelring.

Armand war durch Geburt ein Fürst, aber er war auch ein Vater. Leider konnte er nicht wählen, was für ihn die größte Bedeutung hatte. Er war als Regent geboren, aufgewachsen und erzogen worden. So gab es für ihn in erster Linie die Verantwortung seinem Volk gegenüber.

„Natürlich haben meine Kinder ihren eigenen persönlichen Schutz." Mit beherrschtem Zorn drückte er seine Zigarette aus. „Es hat allerdings den Anschein, als sei dieser Schutz unzureichend. Gabriella zeigt sich oft unduldsam bei der notwendigen Anwesenheit von Sicherheitsbeamten. Ihr Privatleben betreffend hat sie ihren eigenen Kopf. Vielleicht habe ich sie verzogen. Wir sind ein friedliches Land, Reeve. Die Bewohner von Cordina lieben ihre fürstliche Familie. Wenn meine Tochter von Zeit zu Zeit mal ihren Leibwächtern entschlüpft ist, dann habe ich kein großes Aufheben darum gemacht."

„Konnte es auf diese Weise jetzt zu der Entführung kommen?"

„Sie wollte aufs Land fahren. Das tut sie manchmal. Die Verpflichtungen aufgrund ihrer Stellung sind zahlreich. Gabriella braucht ab und zu etwas Ablenkung und ein gewisses Maß an Zerstreuung. Bis vor sechs Tagen schien es immer eine harmlose Sache, deshalb gestattete ich es auch."

Dem Ton nach zu urteilen beherrschte Armand seine Familie wie sein Volk, gerecht, aber kühl, dachte

Reeve. „Bis vor sechs Tagen", wiederholte er, „als Ihre Tochter entführt wurde."

Armand nickte ruhig. Es ging jetzt um Tatsachen, mit denen man sich auseinander setzen musste, Gefühle waren hier unangebracht. „Bis wir absolut sicher sind, wer Gabriella entführt hat und warum, kann ihr ein solches Vergnügen nicht mehr gestattet werden. Ich würde der Palastgarde mein Leben anvertrauen, doch nicht mehr das meiner Tochter."

Reeve machte seine Zigarette aus. Die Absicht war klar und deutlich. „Ich bin nicht mehr beim Geheimdienst, Armand."

„Sie haben ein eigenes Unternehmen. Wie ich höre, sind Sie eine Art Experte auf dem Gebiet des Terrorismus."

„In meinem Heimatland", erklärte Reeve. „Hier in Cordina habe ich keine Zulassung. Im Laufe der Jahre hatte ich allerdings Gelegenheit, gute Kontakte zu schaffen. Ich könnte Ihnen die Namen einiger ausgezeichneter Leute vermitteln ..."

„Ich suche einen Mann, dem ich das Leben meiner Tochter anvertrauen kann", unterbrach Armand ihn. Er sagte das mit ruhiger Stimme, der drohende Unterton war jedoch unüberhörbar. „Einen Mann, von dem ich sicher sein kann, dass er ebenso objektiv bleibt, wie ich es sein muss. Einen Mann, der über die Erfahrungen verfügt, eine möglicherweise hochexplosive Lage mit Feingefühl zu handhaben. Ich habe Ihre Laufbahn aufmerksam verfolgt." Als Reeve ihn verblüfft ansah, lächelte Armand ihn noch einmal an. „Ich verfüge über ausgezeichnete Beziehungen in Washington. Sie haben einen tadellosen Ruf, Reeve. Ihr Vater kann stolz auf Sie sein."

Reeve fühlte sich unwohl, als der Name seines Vaters fiel. Diese Verbindung war für seinen Geschmack zu persönlich. Sie würde es ihm nur erschweren, anzunehmen und objektiv zu bleiben, oder dankend und ohne Schuldbewusstsein abzulehnen. „Ich weiß ihr Vertrauen zu schätzen. Ich bin jedoch keine Polizist, kein Leibwächter. Ich bin jetzt Farmer!"

Armands Ausdruck blieb ernst, doch Reeve entging das amüsierte Flackern im Blick des Fürsten nicht. „Ja, so wurde mir berichtet. Wenn es Ihnen recht ist, belassen wir es dabei. Doch ich habe Sorgen, große Sorgen. Ich werde Sie jetzt allerdings nicht drängen." Armand wusste, wann er zu fordern oder sich zurückzuziehen hatte.

„Überdenken Sie bitte das, was ich Ihnen gesagt habe. Vielleicht könnten wir morgen noch einmal miteinander sprechen, und Sie können selbst mit Gabriella reden. In der Zwischenzeit fühlen Sie sich bitte als unser Gast."

Der Fürst erhob sich und betrachtete damit das Gespräch als beendet. „Mein Wagen wird Sie in den Palast zurückbringen."

## 2. Kapitel

Das Sonnenlicht des späten Vormittags flimmerte im Raum. Reeve betrachtete das Strahlenmuster auf dem Fußboden. Er hatte bei einem privaten Frühstück in der Suite des Fürsten ein weiteres Gespräch mit Armand geführt. Dabei war ihm die ruhige Entschlossenheit und das Herrschaftsbewusstsein des Fürsten nur zu präsent gewesen. Er war mit solchen Menschen aufgewachsen.

Leise vor sich hinfluchend sah Reeve hinaus auf die Bergkette, die Cordina so malerisch umgab.

Warum zum Teufel war er hier? Sein Land lag Tausende von Meilen entfernt und wartete darauf, von ihm bestellt zu werden. Stattdessen befand er sich in diesem Märchenland, wo die Luft verführerisch sanft und das Meer so nahe und so blau war. Er hätte nie hierher kommen dürfen.

Als Armand mit ihm Kontakt aufnahm, hätte er bedauernd abwinken sollen. Als sein Vater ihn dann anrief, um der Bitte des Fürsten Nachdruck zu verleihen, hätte Reeve ihm erklären müssen, dass seine Felder darauf warteten, bestellt zu werden.

Aber er hatte es nicht getan. Mit einem Seufzer gestand Reeve sich den Grund ein. Sein Vater hatte so wenig von ihm verlangt und ihm so viel gegeben. Die Freundschaft, die den Botschafter Francis MacGee und Ihre Königliche Hoheit Fürst Armand von Cordina miteinander verband, war stark und lebendig. Armand war sogar zur Beerdigung von Reeves Mutter in die Staaten geflogen. Er konnte nicht einfach vergessen, wie viel diese Geste seinem Vater bedeutet hatte.

Und auch die Prinzessin war ihm nicht aus dem Sinn gegangen. Er starrte weiter hinaus auf die Berge. Die junge Frau schlief hinter ihm in einem Krankenhausbett, bleich, verletzbar, zerbrechlich. Reeve erinnerte sich, wie er zehn Jahre zuvor seine Eltern auf eine Reise nach Cordina begleitet hatte.

Damals hatte man ihren sechzehnten Geburtstag gefeiert. Er selbst war Anfang zwanzig gewesen und auf dem besten Weg, beim Geheimdienst Karriere zu machen. Er hatte nie an Märchen geglaubt, doch als Figur aus einem Traum war ihm die Prinzessin Gabriella erschienen.

Er konnte sich noch immer an ihren Anblick erinnern. Sie trug einen Traum aus weißer Seide, perlenbestickt und mit einer atemberaubend schmalen Taille, von der Volantkaskaden herabfielen, die über und über mit hellgrünen Ornamenten und Edelsteinen geschmückt waren. Die Frische ihres Kleides unterstrich noch das gesunde, jugendliche Aussehen der Prinzessin. In ihrem vollen kastanienbraunen Haar trug sie ein kleines Diadem aus Diamanten, das feurig darin blinkte und blitzte. Gabriellas zierliches Gesicht zeigte eine sanfte Röte, und ihr Mund war voll und viel versprechend. Doch vor allem ihre Augen ... An sie erinnerte sich Reeve am besten. Diese Augen unter den dunklen, geschwungenen Brauen und mit den langen seidigen Wimpern leuchteten wie Topase.

Beinahe widerstrebend drehte Reeve sich jetzt um, um sie anzusehen.

Gabriella war vielleicht sogar noch feiner, seit sie sich vom Mädchen zur Frau entwickelt hatte. Der Schnitt ihrer Wangenknochen verlieh der Prinzessin Würde. Ihre Haut war bleich, als sei alles jugendliche Leben aus ihr gewichen. Das Haar war noch immer voll, aber es war jetzt streng nach hinten gekämmt, so dass das zierliche Gesicht noch verletzlicher wirkte. Sie hatte ihre Schönheit nicht verloren und wirkte so zerbrechlich, dass man beinahe Angst hatte, sie auch nur zu berühren.

Ein Arm lag schräg über dem Körper, und Reeve konnte das Feuer der Diamanten und Saphire an ihrer gepflegten Hand sehen. Ihre Fingernägel waren jedoch kurz und unregelmäßig, als wären sie abgebrochen. Der Abdruck von Fesseln zeigte sich noch immer an ihrem Handgelenk. Damals hatte sie dort – so erinnerte er sich – einen Perlenreif getragen.

Diese Erinnerungen ließen in Reeve Zorn aufkommen. Eine Woche war inzwischen seit ihrer Entführung verstrichen, und zwei Tage, seit das junge Paar sie ohnmächtig am Straßenrand aufgefunden hatte. Niemand wusste jedoch genau, was sie durchgemacht hatte. Er erinnerte sich des Duftes ihres Parfüms vor zehn Jahren; und jetzt wusste sie nicht einmal mehr ihren eigenen Namen.

Armand war sehr klug, dachte Reeve bitter, ja sogar gerissen gewesen, darauf zu bestehen, dass er Gabriella selbst besuchen sollte. Er fragte sich, wie er sich jetzt verhalten sollte. Er wollte ein eigenes, neues Leben beginnen, so hatte er sich entschieden. Ein Mann, vor dem ein Neuanfang lag, hatte nicht die Zeit, sich mit den Problemen anderer Leute zu befassen. Es war doch sein Wunsch gewesen, genau dem zu entfliehen.

Bei seinen Überlegungen runzelte er die Stirn, und so sah Gabriella ihn, als sie die Augen öffnete. Sie blickte in sein ernstes, sorgenvolles Gesicht, sah die funkelnden blauen Augen und den zusammengekniffenen Mund und erstarrte.

War das ein Traum oder die Wirklichkeit? schoss es ihr durch den Kopf. Das Krankenhaus. Sie sah nur kurz zur Seite, um sich zu vergewissern, dass sie sich noch immer dort befand. Mit den Fingern krallte sie sich ängstlich ans Laken, aber ihre Stimme klang fest.

„Wer sind Sie?"

Was immer sich in den letzten Jahren oder in der vergangenen Woche verändert haben mochte, ihre Augen waren dieselben geblieben. Bernsteinfarben, unergründlich, faszinierend. Reeve behielt die Hände in den Taschen. „Ich bin Reeve MacGee, ein Freund Ihres Vaters!"

Gabriella entspannte sich ein wenig. Sie erinnerte sich an den Mann mit dem müden Blick und mit der militärischen Haltung, der ihr gesagt hatte, er sei ihr Vater. Welch ruhelose, enttäuschende Nacht hatte sie in dem Bemühen verbracht, den kleinsten Erinnerungsfetzen zu finden. „Kennen Sie mich?"

„Wir haben uns vor vielen Jahren einmal gesehen, Eure Hoheit." Der Blick der Augen, die ihn damals bei dem jungen Mädchen und jetzt bei dieser Frau so fasziniert hatten, war unsicher. Sie braucht etwas, dachte er. Sie sucht etwas, an das sie sich klammern kann. „Es war an Ihrem sechzehnten Geburtstag. Sie sahen hinreißend aus!"

„Sie sind Amerikaner, Reeve MacGee?"

Er zögerte einen Moment, musterte sie eindringlich. „Ja. Woher wissen Sie das?"

„Ihr Akzent." Aus dem Blick der Prinzessin sprach Verwirrung, in der sie sich befand. Fast konnte er erkennen, wie sie sich an diesem dünnen Faden festzuhalten schien. „Ich kann es Ihrem Tonfall entnehmen. Ich bin dort gewesen ... Ich bin doch dort gewesen?"

„Ja, Eure Hoheit."

Er wusste es, dachte sie. Er wusste davon, aber sie konnte nur raten. „Nichts." Tränen traten ihr in die Augen, aber sie hielt sie zurück. Sie war unverkennbar die Tochter ihre Vaters. „Können Sie sich vorstellen", begann sie mit gefasster Stimme, „was es heißt, ohne jede Erinnerung aufzuwachen? Mein Leben besteht aus lauter leeren Seiten. Ich muss darauf warten, dass andere Menschen sie für mich ausfüllen. Bitte helfen Sie mir. Was ist mit mir geschehen?"

„Eure Hoheit ..."

„Müssen Sie mich so anreden?" wollte Gabriella wissen.

Dieses kurze Aufflackern ihres ungeduldigen Wesens belustigte ihn. Er war bemüht, nicht zu lächeln. „Nein", sagte er schlicht und setzte sich bequem auf die Bettkante. „Wie möchten Sie denn angesprochen werden?"

„Mit meinem Namen." Verärgert sah sie auf die

Bandage an ihrem Handgelenk. Das muss schnell verschwinden, fand sie. Mühsam gelang es ihr, sich aufzusetzen. „Man hat mir gesagt, ich hieße Gabriella."

„Ihre Familie und ihre Freunde nennen Sie Brie."

Sie dachte einen Augenblick nach, um die Verbindung zwischen den Namen zu finden. Aber die Seiten blieben leer. Nun gut. Erzählen Sie mir bitte, was mit mir passiert ist."

„Wir kennen bis jetzt noch keine Einzelheiten."

„Aber das müssen Sie", verlangte sie und beobachtete Reeve dabei. „Selbst wenn Ihnen nicht alles bekannt ist, werden Sie doch wenigstens ein paar Informationen haben. Ich möchte sie hören."

Reeve betrachtete sie. Gabriella wirkte matt, aber unter der Schwäche spürte er ihren starken Willen. Hier musste er ansetzen. „Am vergangenen Sonntag haben sie nachmittags einen Ausflug aufs Land unternommen. Am darauf folgenden Tag hat man ihren Wagen verlassen aufgefunden. Dann kamen Anrufe mit Lösegeldforderungen. Angeblich hatte man Sie entführt und hielt Sie in Gewahrsam."

Er erläuterte nicht näher, welcher Art die Drohungen gewesen waren oder was geschehen sollte, wenn man die Forderungen nicht erfüllt hätte. Ebenso wenig erklärte er, dass die Bedingungen von horrenden Lösegeldforderungen bis hin zur Freilassung bestimmter Gefangener gereicht hatten.

„Entführt!" Gabriella griff spontan nach seiner Hand. Vor ihren Augen tauchten schattenhaft Bilder auf. Ein kleines, finsteres Zimmer. Der Geruch von Brennöl und Most. Sie erinnerte sich an Übelkeit und Kopfschmerzen. Alle Ängste kamen wieder zurück, doch nichts sonst.

„Ich kann mich nicht klar entsinnen", murmelte sie. „Irgendwie spüre ich, dass es stimmt, aber da ist dieser Schleier, den ich nicht zerreißen kann."

„Ich bin kein Arzt." Reeve sagte das in knappem Tonfall. Ihr Kampf, wieder zu sich zurückzufinden, berührte ihn viel zu sehr. „Ich bin jedoch dafür, die Dinge nicht zu überstürzen. Sie werden sich schon erinnern, wenn der richtige Zeitpunkt dafür gekommen ist."

„Das ist leicht gesagt." Gabriella ließ seine Hand los. „Jemand hat mich meines Lebens beraubt, Mr. MacGee. Welche Rolle spielen Sie in dieser Sache?" fragte sie plötzlich ganz direkt. „Waren wir ein Paar?"

Reeve musste schmunzeln. Sie ging gewiss nicht wie die Katze um den heißen Brei herum, aber sie schien von der Vorstellung auch nicht sonderlich angetan zu sein, wie er sich halbbelustigt eingestand. Ohne um Erlaubnis zu bitten, zündete er sich eine Zigarette an.

„Nein", antwortete er und bot ihr eine an. Sie nahm

an, da sie nicht einmal wusste, ob sie rauchte oder nicht. „Wie gesagt, Sie waren sechzehn, als wir uns damals begegneten. Unsere Väter sind alte Studienfreunde, sie wären bestimmt nicht damit einverstanden gewesen, wenn ich Sie verführt hätte."

„Ach so." Gabriella atmete den Rauch ein, nachdem Reeve ihr Feuer gegeben hatte. Der Qualm brannte ihr in der Kehle, füllte ihre Lungen und hastig blies sie ihn wieder aus. In der gleichen, unbewusst vornehmen Art, in der sie die Zigarette entgegengenommen hatte, löschte sie sie wieder. „Warum sind Sie dann hier?"

„Ihr Vater hat mich gebeten zu kommen. Er ist um Ihre Sicherheit besorgt."

Gabriella warf einen Blick auf den Ring an ihrem Finger. Prachtvoll, dachte sie. Dann sah sie auf ihre Fingernägel und war entsetzt. Unmöglich, dachte sie. Warum trug sie einen solchen Ring und pflegte nicht einmal ihre Hände? Wieder flackerten kurz Erinnerungen auf. Brie versuchte angestrengt, sich zu konzentrieren, aber es war sofort wieder vorbei.

„Was bedeutet es für Sie", fuhr sie fort und bemerkte nicht, dass Reeve jeder ihrer Regungen beobachtete, „dass mein Vater so um meine Sicherheit besorgt ist?"

„Ich habe viel Erfahrung auf diesem Gebiet. Fürst Armand hat mich gebeten, auf Sie aufzupassen."

Erneut runzelte Gabriella die Stirn. Wieder tat sie es

auf diese ruhige, gedankenverlorene Art, von der sie nicht wusste, dass es eine ihrer Angewohnheiten war. „Ein Leibwächter?" Bei ihr klang es ebenso ungeduldig wie bei ihrem Vater. „Ich glaube kaum, dass mir das gefallen wird!"

Diese so geradeheraus erfolgte Ablehnung ließ Reeve einen anderen Ton anschlagen. Er hatte seine freie Zeit geopfert, war um die halbe Welt gereist, und ihr passte der Gedanke einfach nicht. „Sie werden feststellen, Eure Hoheit, dass selbst eine Prinzessin Dinge tun muss, die sie nicht schätzt. Sie sollten sich also lieber damit abfinden."

Gabriella sah ihn distanziert an. So, wie sie es immer tat, wenn ihr Temperament mit ihr durchzugehen drohte. „Ich glaube nicht, Mr. MacGee. Ich bin absolut sicher, dass ich es nicht hinnehmen werde, dauernd irgendjemand um mich herum zu haben. Sobald ich nach Hause komme …" Sie hielt inne, denn auch von ihrem Zuhause hatte sie keine Vorstellung. „Sobald ich nach Hause komme", wiederholte sie, „werde ich eine andere Lösung dafür finden. Sagen Sie bitte meinem Vater, dass ich Ihr freundliches Angebot abgelehnt habe."

„Nicht Ihnen habe ich das Angebot gemacht, sondern Ihrem Vater." Reeve stand auf. Bei dieser Gelegenheit konnte Gabriella sehen, dass er schon allein seiner Größe wegen sehr beeindruckend war. Weder seine gute Figur noch die teure Kleidung hatten diese Wirkung. Es war vielmehr seine Ausstrahlung. Wenn er beschlossen hatte, sich jemandem in den Weg zu stellen, dann konnte man nicht mehr an ihm vorbei. Davon war sie überzeugt.

Er vermittelte ihr ein Gefühl der Unsicherheit. Sie wusste nicht, warum. Aus diesem Grunde wollte sie ihn nicht tagtäglich um sich haben. Zur Zeit war ihr Leben ohnehin schon ein großer Wirrwarr, auch ohne einen Reeve MacGee.

Sie hatte ihn gefragt, ob sie ein Liebespaar gewesen waren. Dieser Gedanke war sowohl erregend als auch beängstigend. Bei seiner Verneinung fühlte sie jedoch plötzlich die gleiche Leere, die schon zwei Tage in ihrem Innern herrschte. Vielleicht bin ich eine gefühlsarme Person? überlegte Gabriella. Vielleicht ist aber das Leben auf diese Weise auch einfacher.

„Man sagte mir, dass ich fünfundzwanzig Jahre alt bin, Mr. MacGee."

„Müssen Sie mich so anreden?" entgegnete er, wählte dabei in voller Absicht denselben Tonfall wie sie zuvor und bemerkte ihr flüchtiges Lächeln.

„Ich bin erwachsen", fuhr sie fort. „Ich treffe meine eigenen Entscheidungen für mein Leben."

„Da Sie ein Mitglied der fürstlichen Familie Cordinas sind, werden einige dieser Entscheidungen nicht von Ihnen allein getroffen." Reeve ging zur Tür, öffnete sie und ließ seine Hand auf dem Griff ruhen. „Ich habe Wichtigeres zu tun, Gabriella, als hier bei Ihnen zu sitzen." Auch er lächelte schnell, wenngleich etwas verlegen. „Doch selbst gewöhnliche Sterbliche haben nicht immer die Wahl."

Sie wartete, bis er die Tür hinter sich geschlossen hatte, und setzte sich dann auf. Ihr wurde schwindlig. Einen Moment lang wünschte sie sich, wieder zurückzusinken und darauf zu warten, dass jemand ihr zu Hilfe und zum Schutz kam. Doch sie wollte es auch nicht mehr länger hinnehmen, im Krankenhaus festgehalten zu sein. Also stieg sie aus dem Bett und wartete darauf, dass das Schwindelgefühl sie verließ. Dann ging sie sehr langsam und ruhig auf den Spiegel an der gegenüberliegenden Wand zu.

Diese Konfrontation hatte sie bisher vermieden. Da sie sich in nichts an ihr Aussehen erinnern konnte, waren ihr Tausende von Möglichkeiten durch den Kopf geschossen. Wer war sie? Aber wie konnte sie anfangen, sich daran zu erinnern, wenn sie nicht einmal die Farbe ihrer Augen kannte. Tief atmete sie durch, stellte sich vor den Spiegel und sah hinein.

Viel zu dünn, stellte sie als Erstes fest. Viel zu bleich. Aber wenigstens bin ich nicht hässlich, ging es ihr dann erleichtert durch den Sinn. Ihre Augen hatten eine sehr eigenwillige Farbe, aber sie standen wenigstens nicht schief oder traten gar hervor.

Sie fuhr sich mit einer Hand übers Gesicht. Dünn, dachte sie erneut, delikat und ängstlich. In ihrem Spiegelbild sah sie nichts, was ihrem Vater ähnlich gewesen wäre. Aus seinem Gesicht sprach Stärke. In ihrem eigenen stand nur Zerbrechlichkeit und tiefe Verletzlichkeit.

„Wer bist du?" fragte sich Gabriella und drückte ihre Handfläche gegen das Spiegelglas. Was bist du?

Plötzlich verachtete sie sich. Sie überließ sich ihrer Verzweiflung und begann zu weinen.

Gabriella schwor sich, dass ihr so etwas nicht noch einmal passieren würde. Sie war so von ihren Gefühlen überwältigt gewesen, dass sie haltlos in Schluchzen ausgebrochen war, bis sie keine Tränen mehr hatte. Zur Beruhigung nahm sie eine heiße, wohltuende Dusche. Als sie damit fertig war, hatte sie einen Entschluss gefasst. Von jetzt an wollte sie sich mutig mit allen aufkommenden Bildern auseinander setzen. Wenn sie eine Antwort auf ihre Fragen finden wollte, war das die einzige Möglichkeit.

Alles der Reihe nach. Gabriella zog den Morgenmantel über, den sie im Schrank gefunden hatte. Ein dicker, molliger, grüner Mantel. An den Rändern war er ein wenig abgestoßen. Vielleicht mein Lieblingsstück, dachte sie und schmiegte sich in den kuscheligen Mantel. Ansonsten war im Schrank nichts mehr gewesen. Entschlossen drückte Gabriella auf die Klingel und wartete auf die Schwester.

„Ich möchte meine Kleider haben", erklärte sie bei deren Erscheinen.

„Eure Hoheit, Sie sollten nicht ..."

„Ich werde, falls nötig, mit dem Arzt sprechen. Ich brauche einen Friseur, Kosmetika und passende Garderobe!" Mit einer befehlenden Geste, die ihre Nervosität überspielen sollte, wies sie die Schwester an. „Ich werde heute früh nach Hause zurückkehren."

Man argumentierte nicht mit Fürstentöchtern. Die Schwester entschuldigte sich höflich und ging sofort, den Doktor zu benachrichtigen.

„Nun, was soll das alles bedeuten?" Der Arzt eilte in das Zimmer. Er strahlte Wärme, gute Laune und Geduld aus. „Eure Hoheit, Sie sollten noch nicht aufstehen."

Es war an der Zeit, ihre Möglichkeiten auszuprobieren. „Dr. Franco, ich schätze Ihre Fähigkeiten und Ihre Freundlichkeit. Aber ich gehe heute nach Hause zurück."

„Nach Hause. Meine liebe Gabriella." Eindringlich sah er sie an, als er auf sie zutrat.

„Nein." Sie schüttelte den Kopf, damit verneinte sie seine unausgesprochene Frage.

„Ich kann mich nicht erinnern."

Dr. Franco nickte.

„Ich habe mit Dr. Kijinsky gesprochen. Er hat auf diesem Gebiet wesentlich mehr Erfahrung als ich. Heute Nachmittag ..."

„Ich werde diesen Dr. Kijinsky empfangen, aber nicht heute Nachmittag." Sie steckte die Hände in die Taschen ihres Mantels und berührte plötzlich einen langen, schmalen Gegenstand. Gabriella zog ihn hervor und hatte eine Haarnadel in der Hand. Fest hielt Brie sie mit der Hand umschlossen, als könnte sie dadurch Erinnerungen heraufbeschwören. „Ich muss diese Lage auf meine eigene Art in den Griff bekommen. Vielleicht werde ich mich erinnern, wenn ich wieder in vertrauter Umgebung bin. Gestern, nachdem mein ... Vater gegangen war, haben Sie mir versichert, dass dieser Gedächtnisverlust nur vorübergehend sei und dass ich außer Ermüdungserscheinungen und einem Schock sonst keinen weiteren Schaden genommen habe. Wenn dem so ist, dann kann ich ebenso gut zu Hause ruhen und mich dort erholen."

„Aber hier können wir uns wesentlich besser um Sie kümmern."

Gabriella lächelte. „Ich möchte aber nicht, dass man

sich um mich kümmert, Dr. Franco. Ich möchte nach Hause", sagte sie entschlossen.

„Wahrscheinlich erinnert sich niemand von euch daran, dass Gabriella genau diese Worte benutzte, nachdem man ihr die Mandeln entfernt hatte."

Armand stand im Türrahmen und betrachtete seine zierliche Tochter, die dem bulligen Dr. Franco so fest widersprach. Er trat zu den beiden und streckte ihr die Hand entgegen. Es schmerzte den Fürsten, dass sie einen Moment zögerte, die Hand zu ergreifen.

„Ihre Hoheit wird nach Hause zurückkehren", sagte er, an den Arzt gewandt, ohne ihn anzusehen. Ehe Gabriella etwas dazu sagen konnte, fuhr er fort: „Dr. Franco, Sie werden mir Anweisungen für die Behandlung der Prinzessin geben. Wenn die junge Dame ihnen nicht Folge leisten sollte, dann kommt sie wieder hierher zurück. Ich werde deine Sachen richten lassen."

„Vielen Dank", sagte Gabriella, unterließ es jedoch, das Wort Vater" hinzuzufügen. Beiden fiel das auf.

Eine Stunde später verließ Gabriella de Cordina das Krankenhaus. Das Kleid in den frischen, zarten Frühlingstönen, das sie jetzt trug, gefiel ihr sehr. Als sie in das helle Sonnenlicht hinaustrat, waren ihre Wangen gerötet. Die Schatten unter ihren Augen waren verschwunden. Sie trug ihr Haar offen, so dass es ihr auf die Schultern fiel. Ein dezenter Geruch französischen Parfums umwehte sie.

An die wartende Limousine konnte sie sich nicht mehr erinnern, auch nicht an das Gesicht des Fahrers, der sie anlächelte, als er ihr die Tür öffnete. Sie stieg ein, setzte sich und schwieg, bis ihr Vater ihr gegenüber Platz genommen hatte.

„Du siehst kräftiger aus, Brie."

So vieles wäre zu sagen gewesen, doch nichts fiel ihr ein. Allerdings beruhigte sie die Anwesenheit ihres Vaters. In ihrem Blick lagen unzählige Fragen. „Ich weiß, ich spreche Französisch ebenso fließend wie Englisch. Ich denke nämlich abwechselnd in beiden Sprachen", fing sie an. „Ich weiß, wie Rosen duften. Ich weiß auch, in welche Richtung ich zu sehen habe, um die Sonne über dem Meer aufgehen zu sehen, und wo sie versinkt. Ich weiß aber nicht, ob ich ein freundlicher oder ein eingebildeter Mensch bin. Ich erinnere mich nicht einmal an die Tapeten in meinem eigenen Zimmer. Ich weiß nicht, ob ich mit meinem Leben etwas Rechtes angefangen oder ob ich es nur vertan habe!"

Es versetzte Armand einen Stich, sie so vor sich sitzen zu sehen, bemüht, ihm eine Erklärung dafür zu geben, warum sie ihm die schuldige Zuneigung nicht geben konnte. „Ich könnte es dir beantworten", sagte er leise.

„Aber du willst es nicht." Sie nickte ihm zu, ebenso gefasst wie er.

„Ich glaube, wenn du die Antwort selbst findest, hast du mehr davon."

„Vielleicht." Sie sah auf ihre Handtasche aus Schlangenleder und strich mit der Hand darüber. „Ich habe bereits entdeckt, dass ich ungeduldig bin." Ein flüchtiges Lächeln huschte über sein Gesicht, und Gabriella fühlte sich zu ihm hingezogen. Auch sie lächelte. „Dann hast du den Anfang gemacht", stellte er glücklich fest.

„Und damit sollte ich wohl auch zufrieden sein."

„Meine liebe Gabriella, ich mache mir darüber keine Illusionen, dass du leider für einen längeren Zeitraum damit zufrieden sein musst."

Sie sah zum Fenster hinaus, während sie die lange, kurvenreiche Strecke bergauf fuhren. Es gab viele Bäume hier, auch Palmen, deren Wedel im Winde flatterten. Sie entdeckte einen grauen, zerklüfteten Felsen, in dessen Spalten wilde Blumen ein karges Leben fristeten. Unter ihnen lag das Meer, tief, still und endlos blau.

Wenn sie vor sich auf die Straße schaute, hatte sie die Stadt mit ihren weiß-bunten Häusern im Blick, die wie ein Vogelnest am Felsen klebten. Alles sah sehr alt, aber auch sehr sauber aus.

Keine Wolkenkratzer, keine Hektik. Tief in ihrem Inneren wusste Gabriella, dass sie schon an Orten gewesen war, wo das Leben schneller pulsierte und die Häuser in den Himmel ragten. Aber dies hier war ihr Zuhause.

„Du willst mir nichts von mir erzählen!" Wieder sah sie Armand an; ihr Blick war fest und ihre Stimme sicher. „Dann erzähle mir wenigstens von Cordina."

Diese Bitte freute ihn. Gabriella bemerkte es an seinem leichten Schmunzeln. „Wir sind eine alte Familie", antwortete er, und Stolz lag in seiner Stimme. Die Bissets – so lautet unser Familienname – leben und regieren hier seit dem siebzehnten Jahrhundert. Vorher war Cordina von vielen Völkern besetzt, den Spaniern, Mauren, wieder den Spaniern, schließlich den Franzosen. Wir haben einen Hafen, und unsere Lage hier am Mittelmeer ist sehr bedeutend. Im Jahre 1657 wurde ein anderer Armand Bisset Fürst von Cordina. Seitdem haben die Bissets regiert, und solange es einen männlichen Erben gibt, wird Cordina auch in unseren Händen bleiben. Der Titel kann nämlich nicht auf eine Tochter übertragen werden."

Gabriella überlegte einen Moment und lehnte den Kopf zurück. „Persönlich kann ich dafür nur dankbar sein, aber als politischen Grundsatz finde ich es überholt."

„Das hast du früher schon gesagt", murmelte Armand.

„Haben die Bissets gut regiert?"

Es sieht ihr ähnlich, diese Frage zu stellen, dachte er. Obwohl sie sich an nichts erinnerte. Ihren scharfen Verstand hatte sie nicht verloren und ebenso wenig ihre rege Anteilnahme. „Cordina lebt in Frieden", erklärte er sachlich. „Wir sind Mitglied der Vereinten Nationen. Der Herrscher bin ich, an meiner Seite ist der Staatsminister Loubet. Es gibt einen Kronrat, der drei Mal pro Jahr zusammentritt. Bei Abschluss von internationalen Verträgen muss ich ihn konsultieren. Alle Gesetze müssen vom Nationalrat, der gewählt wird, gebilligt werden."

„Gibt es Frauen in der Regierung?"

Mit einem Finger strich Armand sich über sein Kinn. „Du hast dein Interesse an der Politik nicht eingebüßt. Ja, es gibt Frauen", antwortete er. „Du wärst allerdings mit dem Prozentsatz nicht zufrieden, obwohl Cordina eigentlich ein fortschrittliches Land ist."

„Fortschrittlich ist wahrscheinlich ein relativer Begriff!"

„Vielleicht." Armand lächelte; offensichtlich war diese Debatte etwas Gewohntes. „Der Handel zu Wasser ist natürlich unsere größte Industrie, aber der Tourismus kommt gleich danach. Wir verfügen hier über eine herrliche Landschaft, Kultur und ein beneidenswertes Klima. Außerdem sind wir gerecht", erklärte er weiter. „Unser Land ist klein, aber nicht unbedeutend. Wir regieren gut."

Gabriella nahm seine Erläuterungen ohne weitere Fragen zur Kenntnis. Selbst wenn sie noch weitere hätte stellen wollen, so hätte sie sie beim Anblick des Palastes vergessen.

### 3. Kapitel

Wie es sich gehörte, stand der Palast auf der Spitze des höchsten Felsens von Cordina. Seine Vorderfront vor zum Meer hin gerichtet.

Gabriella hatte das undeutliche Gefühl, alles schon einmal gesehen zu haben. Es war wie in einem Traum.

Der Palast war aus weißen Quadern errichtet, und die ganze Anlage war ein Durcheinander von Verteidigungsbauten, Brustwehren und Türmen. Er war als Wohn- und Verteidigungsbau angelegt und nie zerstört worden. Trutzig und Frieden verheißend bewachte er die Stadt.

An der offenen Toreinfahrt standen Wachen. In ihren adretten roten Uniformen machten sie einen eindrucksvollen, aber doch operettenhaften Eindruck. Gabriella musste unwillkürlich an Reeve MacGee denken.

„Dein Freund, Mr. MacGee, hat sich mit mir unterhalten." Sie wandte den Blick vom Palast ab. Es schien ihre Art zu sein, zuerst die geschäftlichen Dinge in Betracht zu ziehen. „Er sagte mir, du habest um seine Unterstützung gebeten. Ich weiß deine Besorgnis zu schätzen, aber ich finde den Gedanken, jetzt einen weiteren Fremden in meinem Leben zu haben nicht besonders angenehm."

„Reeve ist der Sohn meines längsten und engsten Freundes. Er ist kein Fremder." Ich ebenso wenig, dachte Armand bitter, aber er wollte nicht ungeduldig werden.

„Für mich ist er das. Seinen eigenen Worten nach sind wir uns nur ein Mal, vor fast zehn Jahren, begegnet. Selbst wenn ich mich an ihn erinnern könnte, wäre er doch ein Fremder!"

Armand hatte stets ihre klare, logische Denkweise bewundert sowie ihren Eigensinn, wenn ihr etwas nicht passte. „Er war Mitglied des amerikanischen Geheimdienstes und ist mit der Art von Sicherheitsmaßnahmen vertraut, die wir jetzt brauchen."

Gabriella dachte an die Wachen am Tor und die Männer, die in dem ihnen folgenden Auto saßen. „Gibt es nicht genügend Wachen?"

Armand wartete, bis der Fahrer vor dem Eingang angehalten hatte. „Wenn wir ausreichend Schutz hätten, wäre dies alles hier nicht notwendig." Er stieg als Erster aus dem Wagen und drehte sich um, um seiner Tochter behilflich zu sein. „Herzlich willkommen daheim, Gabriella!"

Sie ließ ihre Hand in seiner liegen. Noch zögerte sie, den Palast zu betreten. Armand spürte das und wartete.

Dann nahm sie den Geruch der Blumen wahr – Jasmin, Vanille, Gewürze und die Rosen, die im Hof blühten. Das Gras hatte eine taufrische Farbe, und die Mauern waren blendend weiß. Früher einmal musste dort eine Zugbrücke gewesen sein, dessen war sie sich sicher. Jetzt befand sich am Ende der geschwungenen Steinstufen ein Rundbogentor aus Mahagoni. Klares und getöntes Glas blinkte in der Sonne, so wie man es sich von Palästen vorstellte. Auf dem höchsten Turm flatterte eine Fahne im Wind. Sie war schneeweiß mit einem feurig-roten Querstreifen.

Langsam glitt ihr Blick über das Gebäude. Es zog sie an und schien sie willkommen zu heißen. Dieses Gefühl des Friedens bildete sie sich nicht ein. Das war ebenso die Wirklichkeit wie die Furcht, die sie vor noch nicht allzu langer Zeit empfunden hatte. Sie hatte jedoch keine Ahnung, welches der blinkenden Fenster zu ihrem Zimmer gehörte. Sie würde es herausfinden. Nur Mut! sagte sie sich und machte einen Schritt nach vorn.

In diesem Moment wurde die hohe Tür weit aufgerissen. Ein junger Mann mit dunklem, dichten Haar und der Statur eines Tänzers stürzte hinaus. „Brie!" Dann war er bei ihr und umarmte sie stürmisch. Ihm haftete ein angenehmer Geruch nach Pferden an. „Ich bin gerade aus den Ställen gekommen, als Alex mir sagte, du seist hierher unterwegs."

Gabriella spürte die Zuneigung, die der junge Mann ihr entgegenbrachte, und drehte sich hilflos nach ihrem Vater um.

„Deine Schwester braucht Ruhe, Bennett."

„Natürlich. Hier ist sie besser aufgehoben." Er grinste fröhlich, trat zurück, ließ ihre Hand jedoch nicht los. Er sieht so jugendlich, so schön und so glücklich aus, dachte Gabriella. Als er ihr ins Gesicht schaute, wurde sein Ausdruck plötzlich ernst. „Du kannst dich immer noch nicht erinnern?"

Sie wollte ihm die Hände entgegenstrecken, er schien eine solche Geste zu brauchen. Aber alles, wozu sie sich in der Lage fühlte, war ein Händedruck. „Es tut mir Leid."

Bennett öffnete den Mund, schloss ihn wieder und umschlang dann ihre Taille mit seinem Arm. „Unsinn." Seine Stimme klang aufmunternd, und er führte sie mit

Bedacht zwischen sich und ihren Vater. „Du wirst dich schon schnell wieder erinnern, jetzt, wo du wieder bei uns bist. Alex und ich dachten schon, wir müssten bis heute Nachmittag warten, um dich im Krankenhaus besuchen zu können. Aber so ist es viel besser."

Sorgsam geleitete er sie durch die Tür und sprach dabei schnell auf sie ein. Sie war überzeugt, er machte das nur, um ihrer beider Verlegenheit zu überspielen. Sie traten in eine hohe Halle, deren Decke mit Fresken geschmückt war. Vor Gabriella lag eine elegant geschwungene Treppe, die zu etwas führte, das sie bis jetzt noch nicht kannte.

Auf einer Konsole stand eine hohe, glänzende Vase. Sie erkannte sofort, dass sie aus der Ming-Periode stammte, ebenso wie sie die Konsole als aus der Zeit Ludwig XIV. einordnete. Dinge konnte sie also identifizieren und richtig einschätzen, aber sie konnte keinen Bezug zwischen ihnen und sich selbst herstellen. Durch zwei hohe Spitzbogenfenster fiel strahlendes Sonnenlicht, dennoch hatte sie das Gefühl zu frösteln.

Panik stieg in ihr auf. Sie wollte sich umdrehen und hinausrennen, zurück in das sichere, unpersönliche Krankenzimmer. Dort wurde nicht so viel von ihr erwartet, dort hingen nicht so viele unausgesprochene Fragen in der Luft. Dort würde sie nicht von einer solch großen Welle der Liebe erfasst und müsste nicht ihrerseits diese Zuneigung erwidern.

Bennett merkte, wie sie sich versteifte und schlang den Arm noch enger um sie. „Jetzt wird alles wieder gut werden, Brie."

Irgendwie gelang es ihr zu lächeln. „Ja, natürlich."

Am Ende der Halle wurde eine Tür geöffnet. Brie erkannte den Mann der heraustrat nur auf Grund der starken Ähnlichkeit zu ihrem Vater als ihren Bruder.

„Gabriella." Alex rannte nicht so zu ihr hin wie vorher Bennett, sondern ging langsam und beobachtend auf sie zu. Als er vor ihr stand, umschloss er mit seinen Händen ihr Gesicht. Die Begrüßung wirkte völlig natürlich, als hätte er es so viele Male in der Vergangenheit gemacht. Eine Vergangenheit, dachte Gabriella, die ich nicht mehr habe. „Wir haben dich vermisst. Seit einer Woche hat mich niemand mehr angeschrien."

„Ich ..." Sie rang nach Worten und verstummte. Was sollte sie auch sagen? Was hatte sie zu fühlen? Sie wusste nur, dass dies alles zu viel für sie war, und dass sie weit weniger darauf vorbereitet war, als sie angenommen hatte. Dann sah sie über Alex' Schulter hinweg Reeve im Türrahmen stehen.

Er war offenbar mit ihrem Bruder zusammen gewesen, hatte sich jedoch während des Wiedersehens im

Hintergrund gehalten. Bei einer anderen Gelegenheit hätte sie sich wahrscheinlich geärgert, aber jetzt fand sie sein ruhiges, diskretes Verhalten sehr passend. Um Beherrschung bemüht, berührte sie die Hand ihres Bruders. „Es tut mir Leid, ich bin ein wenig müde."

Sie bemerkte ein Aufblitzen in Alexanders Blick, dann trat er zurück. „Natürlich bist du das. Du solltest dich hinlegen. Ich bringe dich nach oben."

„Nein." Gabriella war bemüht, sich weniger ablehnend zu verhalten, als sie sich fühlte. „Entschuldige bitte, ich brauche etwas Zeit, Vielleicht ist Mr. MacGee so freundlich, mich zu meinen Räumen zu geleiten."

„Brie ..."

Bennetts Protest wurde sofort von Armand abgewehrt. „Reeve, Sie kennen Gabriellas Suite."

„Natürlich." Er kam auf sie zu und nahm ihren Arm. Die Berührung war völlig unpersönlich. Es kam ihm vor, als atme Gabriella erleichtert auf. „Eure Hoheit?"

Reeve führte sie die geschwungene Treppe hinauf. Auf einem Absatz verhielt sie einen Augenblick, um auf die drei Männer zurückzusehen, die ihr nachschauten. Sie fühlte sich so weit von ihnen entfernt, so getrennt. Ihre Gefühle waren ein einziges Durcheinander, so dass sie den Rest der Treppe lieber schweigend zurücklegte.

Auf dem Weg durch die breiten Korridore erkannte Gabriella nichts wieder, keinen der kostbaren Wandteppiche oder die schweren Portieren. Einmal kamen sie an einer Bediensteten vorbei, deren Augen sich mit Tränen füllten, als sie stehen blieb und grüßte.

„Wie kommt es wohl, dass man mich so gern hat?" flüsterte Gabriella vor sich hin.

„Im Allgemeinen möchten die Menschen, dass man sie gern hat!"

Reeve ging weiter und führte sie mit einem leichten Druck auf ihren Arm weiter durch den Korridor.

„Fragen sich die Menschen im Allgemeinen denn nicht, ob sie die Zuneigung verdienen?" Ungeduldig schüttelte Gabriella den Kopf. „Es kommt mir vor, als wäre ich in einen Körper geschlüpft. Er hat eine Vergangenheit, ich jedoch nicht. Aus diesem Körper heraus sehe ich mich um und beobachte die Reaktionen anderer Leute auf diese Hülle!"

„Sie könnten das zu Ihrem Vorteil nutzen!"

Gabriella warf ihm einen schnellen, interessierten Blick zu. „Auf welche Weise?"

„Sie haben den Vorteil, die Menschen um sie herum aufmerksam betrachten zu können, ohne dass Ihre eigenen Empfindungen diese Beobachtungen verfälschen. Vorurteilsfreie Erkenntnisse. Eine sicher sehr interessante Art, wieder zu sich zurückzufinden."

„Jetzt sehen Sie, warum ich wollte, dass Sie mich heraufbegleiten."

Reeve blieb vor einer wundervoll geschnitzten Tür stehen. „Inwiefern?"

„Noch vor wenigen Minuten dachte ich, dass ich nicht noch mehr Fremde in meinem Leben ertragen könnte. Und doch ... Sie haben keine starken Gefühle mir gegenüber und erwarten das auch nicht von mir. Für Sie ist es leicht, mich anzusehen und sich neutral zu verhalten."

Reeve blickte Gabriella im Dämmerlicht des Ganges an. Einem Mann war es kaum möglich, sie anzuschauen und nur neutrale Gedanken zu haben. Doch die Situation war nicht dazu angetan, darauf hinzuweisen. „Unten haben Sie sich gefürchtet."

Gabriella hob den Kopf und sah ihm in die Augen. „Ja."

„Haben Sie sich jetzt entschlossen, mir zu vertrauen."

„Nein." Ein schönes Lächeln lag auf ihren Lippen. Etwas von dem jungen Mädchen, das er einst mit den Diamanten im Haar kennen gelernt hatte, kam wieder zum Vorschein. Zu viel des Zaubers, den er danach gefühlt hatte, kam wieder zurück. „Unter den gegebenen Umständen kann ich niemandem so leicht mein Vertrauen schenken."

Mehr noch als ihr Lächeln zog ihre innere Stärke ihn in Bann. „Was haben Sie dann beschlossen?"

Sein Äußeres sprach Gabriella an, doch seine Zuversicht beeindruckte sie noch stärker. „Ich nehme Ihre Dienste nicht als Leibwächter in Anspruch, Reeve. Doch ich bin davon überzeugt, dass Ihre Unterstützung als Fremder für mich unschätzbar sein wird. Mein Vater ist entschlossen, auf Sie in keinem Fall zu verzichten. Wir sollten deshalb vielleicht zu einem Arrangement zwischen uns beiden kommen."

„Welcher Art?"

„Ich will nicht ständig beobachtet werden. Ich bin sicher, dass ich das noch nie gemocht habe. Ich möchte Sie vielmehr als Puffer zwischen mir und ..."

„... Ihrer Familie sehen?" vollendete Reeve ihren Satz.

Gabriella senkte den Blick und umklammerte ihre Handtasche. „Lassen Sie es nicht so kalt klingen!"

Reeve hätte sie jetzt gerne in den Arm genommen, aber es wäre sicherlich ein Fehler gewesen, sie in dieser Situation zu berühren. Sie haben ein Recht auf die Zeit und den Abstand, die Sie brauchen, Gabriella", versicherte er ihr.

„Meine Familie hat auch ihre Rechte. Ich bin mir dessen sehr wohl bewusst." Sie hob erneut den Kopf, sah jedoch an ihm vorbei. „Ist dies mein Zimmer?"

Einen Augenblick lang sah sie hilflos und verloren aus. Er wollte sie trösten, fühlte jedoch, dass sie Trost am wenigsten wünschte oder brauchte. „Ja."

„Würden Sie mich für einen Feigling halten, wenn ich nicht allein hineingehen möchte?"

Anstelle einer Antwort öffnete er die Tür und betrat vor ihr den Raum.

Offensichtlich liebte Gabriella Pastellfarben. Sie sah sich in dem kleinen, entzückenden Wohnzimmer mit den blassen, sonnengebleichten Farben um. Kein unnötiger Zierrat, stellte sie beruhigt fest. Der Raum war sogar ohne solche Dinge ausgesprochen weiblich eingerichtet. Sie war erleichtert darüber, dass sie es offenbar nicht nötig hatte, ihre Fraulichkeit durch übermäßigen Schnickschnack zu demonstrieren. Vielleicht würde sie sogar feststellen, dass Gabriella die sein sollte, die ihr gefiel.

Das Zimmer stand nicht voll, doch es war auch kein Platz verschenkt. Auf einer Kommode aus der Zeit der Königin Anne stand eine Vase mit frischen Blumen. Auf einem Tischchen war eine Sammlung von winzigen Flakons und Fläschchen angeordnet, die mit ihren vielen Formen und Farben zwar hübsch aussahen, aber nutzlos waren. Doch sie gefielen ihr auch.

Gabriella berührte die geschwungene Lehne eines bezaubernd zierlichen Sessels.

„Man sagte mir, Sie hätten dieses Zimmer vor drei Jahren neu eingerichtet", merkte Reeve an. „Es ist sicher tröstlich, festzustellen, einen guten Geschmack zu haben."

Hatte sie den Gobelinbezug für das bequeme Sofa wohl selbst ausgesucht? Sie strich mit der Hand darüber, als könne sie durch die Berührung eine Erinnerung auslösen. Ihr Blick fiel durch das Fenster auf Cordina hinunter, so wie sie sicher zahllose Male darauf herabgesehen hatte.

Sie schaute auf Gärten, auf gepflegte Rasenflächen, auf die Felsen und das Meer. Weiter hinten lag die Stadt, Häuser inmitten von Hügeln und viel Grün. Obwohl sie sie nicht sehen konnte, war sie davon überzeugt, dass im Park an der hohen Fontäne viele Kinder spielten.

„Warum nur habe ich alles vergessen?" stieß sie plötzlich hervor. Sie drehte sich um, und Reeve bemerkte, dass aus dem ruhigen, beherrschten Mädchen eine leidenschaftliche und verzweifelte Frau geworden war. „Warum nur kommt mir nichts in den Sinn, woran ich mich so dringend erinnern möchte?"

„Vielleicht gibt es andere Dinge, an die sich zu erinnern Sie noch nicht bereit sind."

„Ich kann es kaum glauben." Gabriella warf ihre Handtasche auf das Sofa und ging unruhig im Raum auf und ab. „Ich kann diese Wand zwischen mir und meinem Erinnerungsvermögen nicht ertragen."

Abgesehen von ihrer zerbrechlichen Ausstrahlung verfügt sie über eine starke innere Kraft, dachte Reeve. „Sie müssen Geduld bewahren." Bei diesen Worten fragte er sich allerdings, ob er sie oder sich selbst damit beruhigen wollte.

„Geduld?" Sie lachte auf und fuhr sich mit der Hand durchs Haar. „Warum bin ich nur so sicher, dass ich genau die nicht habe? Wenn ich einen, nur einen einzigen Stein aus dieser Wand herausbrechen könnte, würde der ganze Rest zusammenfallen, da bin ich ganz sicher. Bloß wie?" Rastlos ging sie mit der ihr eigenen Grazie weiter auf und ab. „Sie könnten mir helfen."

„Dafür ist Ihre Familie hier."

„Nein." Selbstbewusst warf sie den Kopf in den Nacken, und ihre weiche Stimme klang befehlsgewohnt. „Meine Angehörigen kennen mich natürlich, aber ihre Empfindungen, auch die meinen, werden diese Wand viel länger bewahren, als mir lieb ist. Wenn meine Brüder mich ansehen, tut es mir weh, weil ich sie nicht kenne."

„Aber ich kenne Sie doch auch nicht."

„Sehr richtig." Die Geste, mit der sie sich jetzt ihr

Haar aus dem Gesicht strich, wirkte weniger ungeduldig denn vertraut. „Sie können objektiv sein. Weil Sie nicht ständig auf meine Gefühle Rücksicht nehmen wollen, werden Sie auch weniger daran zerren. Da Sie der Bitte meines Vaters bereits zugestimmt haben ... das haben Sie doch?"

Reeve dachte an seine Farm. Mit einem Stirnrunzeln steckte er die Hände in seine Taschen. „Ja."

„Sie haben sich selbst in eine Lage gebracht, in der Sie mir ständig über die Schulter schauen. Und wo Sie nun einmal hier sind, können Sie mir ebenso gut von Nutzen sein", schloss Gabriella.

Reeve brachte ein verlegenes Lächeln zu Wege. „Es wird mir ein Vergnügen sein, Eure Hoheit."

„Jetzt habe ich Sie verärgert." Mit einem Achselzucken ging sie auf ihn zu. Nun, ich wäre nicht überrascht, wenn wir uns noch oft auf die Nerven gehen, ehe dies alles vorüber ist. Ihnen gegenüber will ich ehrlich sein, nicht etwa, weil ich Ihr Mitleid, sondern weil ich jemanden zum Sprechen brauche." Sie machte eine Pause. „Ich fühle mich ziemlich allein." Ein leichtes Zittern schwang in ihrer Stimme mit. Das direkte, helle Licht des Vormittags enthüllte, wie bleich sie war. „Es gibt nichts, was ich sehe oder berühre, von dem ich wüsste, dass es mir gehört. Es ist mir unmöglich, ein Jahr zurückzudenken und mich an etwas Lustiges,

Trauriges oder Nettes zu erinnern. Ich kenne ja nicht einmal meinen vollen Namen."

Nun berührte er sie doch. Vielleicht hätte er das nicht tun sollen, aber er konnte sich nicht zurückhalten. Er legte Gabriella die Finger unter das Kinn und strich sacht über ihre Wange. „Eure Königliche Hoheit, Prinzessin Gabriella Madeline Justine Bisset von Cordina."

„So lang." Ihr glückte ein Lächeln, und der Druck ihrer Hand auf der seinen wurde fester.


„Sagen Sie mir, wie stehe ich zu meiner Familie?" Mit dieser Frage brach Gabriella schließlich das entstandene Schweigen.

„Gut."

„Dann helfen Sie mir, meiner Familie die Person wiederzuschenken, die sie erwartet. Helfen Sie mir, diese Person zu finden. In einer einzigen Woche habe ich fünfundzwanzig Jahre meines Lebens verloren. Ich muss wissen, warum. Das müssen Sie verstehen!"

„Das verstehe ich auch." Reeve schalt sich innerlich dafür, sie berührt zu haben. „Aber das heißt noch nicht, dass ich helfen kann."

„Sie können es. Sie können es deshalb, weil nichts sie dazu zwingt. Seien Sie nicht geduldig mit mir, sondern streng und nicht freundlich sondern eher hart."

Noch immer hielt er ihre Hand. „Es ist vielleicht für

einen ehemaligen amerikanischen Geheimdienstler nicht sehr angemessen, Druck auf eine Prinzessin auszuüben."

Gabriella lachte. Seit zehn Jahren hörte er dieses Lachen zum ersten Mal wieder, aber er konnte sich genau daran erinnern. Im Gegensatz zu ihr war Reeve auch der gemeinsam getanzte Walzer im Zauber des Mondscheins gegenwärtig. Es war sicher nicht klug, in Cordina zu bleiben, aber er konnte nicht abreisen. Noch nicht.

Gabriellas Hand entspannte sich. „Wird in Cordina heute noch geköpft? Gewiss wenden wir doch heutzutage zivilisiertere Methoden an, um mit dem Gesindel fertig zu werden ... Immunität." Mit einem Mal sah sie jung und zufrieden aus. „Ich gewähre Ihnen Immunität, Reeve MacGee. Hiermit haben Sie meine Erlaubnis, mich anzuschreien, mich auf die Probe zu stellen und sich überhaupt äußerst unbeliebt zu machen, ohne Repressalien fürchten zu müssen."

„Sind Sie gewillt Ihr königliches Siegel darunter zu setzen?"

„Wenn mir jemand sagt, wo es sich befindet."

Die Anspannung war plötzlich von ihr gewichen. Obwohl sie bleich und matt aussah, war ihr Lächeln zauberhaft. Sie hatte jetzt eine andere Ausstrahlung. Hoffnung und Entschlossenheit sprachen aus ihrem

Blick. Ich werde ihr helfen, dachte Reeve. „Ihr Wort genügt mir."

„Und mir das Ihre. Danke."

Reeve führte ihre Hand, die er noch immer hielt an seine Lippen. Er wusste, diese Geste müsste für sie eigentlich etwas völlig Selbstverständliches sein. Doch als seine Lippen flüchtig ihre Hand berührten, bemerkte er ein kurzes Aufflackern in ihren Augen. Prinzessin oder nicht, sie war eine Frau. Reeve erkannte ihre Erregung. Vorsichtig ließ er ihre Hand los.

„Ich werde Sie jetzt ruhen lassen. Der Name Ihres Mädchens ist übrigens Bernadette. Falls Sie sie nicht früher brauchen, wird sie eine Stunde vor dem Abendessen zu Ihnen kommen."

Gabriella ließ ihren Arm sinken, als gehörte er nicht zu ihr. „Ich weiß es sehr zu schätzen, was Sie für mich tun."

„Das wird wahrscheinlich nicht immer der Fall sein." Reeve ging zur Tür. Dort erst hielt er die Entfernung für angemessen, um sich noch einmal umzudrehen. Er sah Gabriella am Fenster stehen. Das Licht fiel durch die Scheiben, vergoldete ihr Haar und ließ ihre Haut sanft schimmern. „Es ist genug für heute, Gabriella", ermahnte er sie leise. „Wir können morgen damit beginnen, den Stein aus der Mauer zu brechen."

## 4. Kapitel

*G*abriella wollte eigentlich nicht schlafen, sondern einfach nur nachdenken. Noch immer war sie so erschlagen und verwirrt wie vordem im Krankenhaus.

„So!"

Beim Klang dieser einen, ungehaltenen Silbe fuhr Gabriella erschreckt hoch. In einem hohen Lehnstuhl vor ihrem Bett saß ihr eine alte Frau gegenüber. Ihr graues Haar war zu einem festen Knoten zusammengebunden. Sie hatte ein pergamentenes Gesicht, dünnhäutig, ein wenig gelblich und voller Falten. Aus kleinen dunklen Augen sah sie Gabriella an, und ihr alterswelker Mund wirkte noch immer entschlossen. Sie trug ein würdiges, glattes schwarzes Kleid, feste schwarze Schuhe und seltsamerweise am Hals eine Kamee an einem Samtband.

Da Gabriella auf keine Erinnerungen zurückgreifen konnte, ließ sie sich von ihrem Instinkt leiten. Reeve hatte ihr geraten, vorurteilsfrei zu beobachten. Dieser Rat schien ihr sehr klug. Entschlossen blickte sie die alte Frau an. „Hallo", sagte sie in gelassenem Ton.

„So ist es recht", sagte die alte Frau mit einem slawisch klingenden Akzent. „Du kommst nach Hause, nachdem ich eine Woche lang vor Angst krank war, und findest es nicht einmal nötig, mich zu begrüßen."

„Es tut mir Leid." Die Entschuldigung ging Gabriella so selbstverständlich über die Lippen, dass sie lächeln musste.

„Man hat mir diesen Unsinn erzählt, du könntest dich an nichts erinnern. Unfug!" Sie hob eine Hand und klopfte damit auf die Armlehne des Stuhles. „Meine Gabriella soll sich angeblich nicht an ihre eigene Nanny erinnern!"

Gabriella betrachtete die alten Frau, aber sie konnte keinen Funken Verbindung zu ihr entdecken. Noch war der Zeitpunkt nicht gekommen. „Ich erinnere mich wirklich nicht", sagte sie leise. „Ich erinnere mich an gar nichts."

Nanny hatte in ihrem dreiundsiebzigjährigen Leben eine Menge Kinder aufgezogen und eines ihrer eigenen begraben. So war sie nicht so leicht aus der Fassung zu bringen. Nach einem Moment des Schweigens stand sie auf. Sie hatte ein faltiges Gesicht und verknöcherte Hände, aber sie erhob sich noch mit der Leichtigkeit und dem Schwung der Jugend. Dann neigte die Frau sich zu Gabriella herunter, und die Prinzessin sah eine schmale Frau in Schwarz vor sich, an deren Gürtel ein Rosenkranz baumelte.

„Ich bin Carlotta Baryshnova, die Kinderfrau deiner

Tante, Lady Honoria Bruebeck und deiner Mutter, Lady Elisabeth Bruebeck. Als deine Mutter Prinzessin Elisabeth von Cordina wurde, habe ich sie begleitet um auch ihre Kinder großzuziehen. Ich habe dich gewickelt dir deine aufgeschlagenen Knie verbunden und dir die Nase geputzt. Und wenn du heiratest, werde ich das Gleiche auch für deine Kinder tun."

„Aha." Gabriella lächelte. Sie hatte den Eindruck, dass die Frau eher ärgerlich als verwirrt war. Ich habe mich noch nicht einmal lächeln gesehen, schoss es ihr in diesem Augenblick durch den Kopf. Sie müsste noch einmal vor den Spiegel treten. „Und war ich ein artiges Kind?"

„Na ja." Der Ton konnte alles Mögliche bedeuten, aber Gabriella hatte dennoch ein positives Gefühl. „Manchmal schlimmer, manchmal besser als deine Brüder. Und die waren immer sehr anstrengend." Die Frau kam näher an Gabriella heran und musterte sie mit ihren kurzsichtigen Augen. „Du hast nicht gut geschlafen", stellte sie barsch fest. „Kein Wunder. Heute Abend bringe ich dir deine heiße Milch."

Gabriella wandte den Kopf. „Trinke ich sie gern?"

„Nein. Doch du wirst sie trinken. Jetzt lasse ich dir dein Bad ein. Die ständige Aufregung und die vielen Ärzte strengen dich zu sehr an. Ich habe dieser albernen Bernadette gesagt, dass ich mich heute Abend selbst um dich kümmern würde. Was hast du denn mit deinen Fingern gemacht?" fragte sie plötzlich entsetzt und zog eine Hand zu sich hin. Sie begutachtete beide Seiten. „Erst eine Woche ist verstrichen, und nun sieh dir deine Nägel an. Schlimmer als bei einem Küchenmädchen. Stumpf und abgebrochen, und das trotz des vielen Geldes, das du für die Maniküre ausgibst."

„Lass deine Sekretärin mit den verkniffenen Lippen für dich einen Termin machen. Und für dein Haar gleich mit", sagte Nanny in Befehlston und strich Gabriella über den Kopf. „Es schickt sich nicht für eine Prinzessin, mit kaputten Fingernägeln und struppeligen Haaren herumzulaufen. Wirklich nicht", schimpfte sie weiter und ging dann in das Nebenzimmer. „Wirklich nicht, in der Tat."

Gabriella stand auf und ließ ihr Nachthemd über die Schultern gleiten. Sie fühlte ihre Intimsphäre im Bad durch die schimpfende und emsige Frau keineswegs gestört. Sie zog ihr Höschen aus und ließ sich von der Frau in eine kurze seidene Robe helfen.

„Steck dein Haar hoch", ordnete Nanny an. „Ich werde sehen, was ich nach dem Bad damit machen kann." Da Gabriella zögerte, ging sie zu der Frisierkommode und öffnete ein kleines, emailliertes Döschen, in dem Haarklammern lagen. „Hier, nimm", sagte sie mit jetzt liebevoller Stimme. „Dein Haar ist so dicht wie das deiner Mutter. Du wirst eine Menge Nadeln brauchen." Dann brachte sie Gabriella leise vor sich hin murmelnd ins Badezimmer.

Gabriella zog den Morgenrock aus und stieg in das marmorne Bad. Das heiße Wasser tat ihr gut. Genau das hatte ihr gefehlt, um den bevorstehenden Abend gut überstehen zu können.

Ihre Gedanken kreisten plötzlich um Reeve MacGee. Er schien sie gut zu kennen, obwohl er kein sehr enger Freund war, wie sie sich erinnerte. Er lebte sein eigenes Leben in Amerika. Er hatte ihr bestätigt, dass sie dort gewesen war. Flüchtige Eindrücke kamen ihr in den Sinn. Hohe Bauten aus Glas und Marmor und endlose formelle Diners. Ja, und ein Fluss mit grasgrünen Ufern, auf dem reger Schiffsverkehr herrschte. Gabriella stellte fest, dass die Anstrengung, sich an selbst so unbedeutende Nebensächlichkeiten zu erinnern, sie stark ermüdete.

Konzentriere dich auf seine Person, ermahnte sie sich. Wenn er ihr irgendwie behilflich sein konnte, dann musste sie sich bemühen, ihn zu verstehen. Er sieht sehr gut aus, dachte sie, und macht einen äußerst beherrschten Eindruck.

Sie war jedoch nicht sicher, was sich hinter dem Äußeren verbarg. Er schien jemand zu sein, der unbarmherzig und entschlossen sein konnte. Jemand, der seine

Entscheidungen stets auf eigene Faust traf. Gut, dachte Gabriella, genau das brauche ich jetzt.

Ihr fiel die Erregung ein, die sie bei Reeves Handkuss gespürt hatte. Eine kurze, heftige, verwirrende Erregung. Sie fragte sich, was sie wohl empfinden würde, wenn er sie berühren, seine Hände gegen ihren Körper pressen oder mit den Fingerspitzen ihre Haut streicheln würde. Sie spürte, wie erneut Erregung sie überkam, tat jedoch nichts, um dieses herrliche Gefühl zu unterdrücken.

War sie eine Frau, nach der ein Mann Verlangen verspüren würde? Gabriella erhob sich aus dem Bad. Das Wasser perlte an ihr herab. Reeve hatte Recht hinsichtlich der möglichen Vorteile ihrer Lage. Sie konnte beobachten, welche Reaktionen sie bei anderen auslöste. Heute Abend würde sie es ausprobieren.

Gabriella stieg am Arm ihres Vaters die lange Treppe hinab. Er hatte ihr gesagt, man würde den Cocktail im kleinen Salon nehmen. Allerdings hatte er ihr nicht gestanden, dass er sie nur deshalb abgeholt hatte, weil er fürchtete, dass sie den Weg dorthin nicht kannte. Am Fuß der Treppe küsste er ihr die Hand. Diese Geste war ähnlich wie vorher bei Reeve, aber sie löste bei Gabriella nur ein Lächeln und keine Erregung aus.

„Du siehst wundervoll aus, Brie."

„Danke. Bei der Auswahl der Kleider in meinem Zimmer wäre es allerdings auch schwierig, nicht so auszusehen."

Armand schmunzelte amüsiert. „Du hast oft genug gesagt, schöne Kleider seien dein einziges Laster."

„Und, sind sie das?"

Hinter ihrer hingeworfenen Frage spürte er den Wunsch nach Wissen, und erneut küsste er ihre Hand. „Ich bin immer nur stolz auf dich gewesen." Er zog ihre Hand unter seinen Arm und schritt mit ihr den Gang hinunter.

Reeve fiel eine gewisse Spannung zwischen seinem Sohn Alexander und seinem Staatsminister Loubet auf. Diese Atmosphäre äußerte sich in formeller Höflichkeit. Sobald Alexander auf den Thron gekommen sein würde, befände sich Loubet sicher nicht mehr an seiner Seite, dachte Reeve.

Er ließ einen Moment seinen Blick auf Alexander ruhen. Der junge Prinz war sehr verschlossen. Er hatte noch nicht die Selbstbeherrschung seines Vaters. Was immer in ihm vorgehen mochte, es trat niemals an die Oberfläche. Alexander behielt stets seine Gefühle für sich, zumindest in der Öffentlichkeit. Ganz anders als Bennett, stellte Reeve fest, und sah zu dem anderen Prinzen hin.

Bennett hatte es sich in einem Sessel bequem gemacht und lauschte der Unterhaltung nur mit halbem Ohr. Er verspürte sichtlich keinen Drang, Worte auf ihre Wichtigkeit und Bedeutung hin zu prüfen, wie es sein Bruder tat. Reeve fand es interessant, Bennetts lebensfrohe Einstellung zu beobachten.

Auch Gabriella fand sein Interesse. Reeve konnte noch nicht einschätzen, ob das Mädchen von damals sich jetzt zu einer ernsten Natur wie ihr erster Bruder entwickelt hatte, oder zu einem fröhlichen Wesen wie ihr zweiter. Vielleicht war sie aber auch völlig anders. Nach den zwei kurzen Gesprächen mit ihr war er neugierig, das herauszufinden.

Er fühlte sich jedenfalls von ihr sehr angezogen. Mehr noch, er spürte Verlangen nach ihr. Jedes Mal wenn er sie sah. Ihre bernsteinfarbenen Augen faszinierten ihn. Ich muss vor diesen Augen auf der Hut sein, sagte er sich. Im Übrigen war sie vielleicht eine Frau, die man berühren, verführen oder sogar ins Bett bekommen konnte, aber sie war auch eine Prinzessin. Eine Prinzessin aus Fleisch und Blut, dachte Reeve, und nicht eine der unterkühlten Märchenfeen.

Er drehte sich um und schaute zu ihr hinüber. Sie stand dort wie eine Mischung aus beidem. Ihr Kopf war erhoben, als betrete sie eine Bühne und nicht einen Salon. Perlen schimmerten an ihren Ohren, Diamanten funkelten an ihrem Hals und in ihrem Haar, das sie aus dem Gesicht gekämmt hatte. Der sanftgrüne Ton ihres Kleides unterstrich ihre Wirkung und passte gut zu der Farbe ihrer Haut. Gabriellas ganze Haltung entsprach ihrer Stellung. Sie klammerte sich nicht an ihren Vater. Dabei hätte es Reeve nicht gewundert, wenn sie den Wunsch verspürt hätte, sich an jemandem festzuhalten. Sie wirkte jedoch vorbereitet, bereit, allem standzuhalten. Und, so stellte er zufrieden fest, sie beobachtete ihre Umgebung.

„Eure Hoheit."

Gabriella wartete ruhig, bis Loubet den Raum durchquert hatte und sich vor ihr verbeugte. Er war älter als Reeve, aber jünger als ihr Vater. Einige graue Strähnen durchzogen sein blondes Haar, und in seinem Gesicht entdeckte sie ein paar Falten. Er verbreitet einen angenehmen Duft, dachte sie, und musste über ihre Art zu denken lächeln. Den linken Fuß zog er leicht nach, doch er verbeugte sich sehr galant und hatte ein reizendes Lächeln für sie.

„Es freut mich, Sie wieder daheim zu sehen."

Gabriella empfand nichts bei seinem Händedruck, nichts, als ihre Blicke sich trafen und er sie freundlich betrachtete. „Vielen Dank."

„Monsieur Loubet und ich hatten heute Abend Geschäftliches zu besprechen." Ihr Vater gab ihr gekonnt das Stichwort. „Leider ist es ihm unmöglich, uns beim Essen Gesellschaft zu leisten."

„Geschäft geht vor Vergnügen, Monsieur Loubet", erklärte Gabriella ebenso gekonnt.

„Es freut mich wirklich, Sie wieder hier zu sehen, Eure Hoheit!"

Gabriella bemerkte den kurzen Blick, den der Minister und ihr Vater wechselten. Aber sie konnte ihn nicht deuten.

„Da sich die Angelegenheit um mich dreht, haben Sie vielleicht die Freundlichkeit Ihre Ergebnisse bei einem Glas zu erläutern."

Als sie den Raum durchquerte, bemerkte sie Reeves zustimmendes Kopfnicken. Die leichte Anspannung in ihrem Magen schien sich zu lösen. „Bitte, meine Herren, nehmen Sie doch Platz", forderte sie mit einer einladenden Geste auf.

Während ein Diener die Getränke reichte, sagte Alexander plötzlich: „Wir sollten Gabriella nicht damit belasten."

„Die Probleme Ihrer Familie sind auch Cordinas Probleme, Eure Hoheit", antwortete Loubet freundlich, aber ohne innere Anteilnahme. „Prinzessin Gabriellas Zustand geht sowohl ihre Familie als auch die Regierung etwas an. Ich fürchte sehr, dass ihr zeitweiliger Gedächtnisverlust sofort von der Presse ausgeschlachtet wird, falls auch nur die kleinste Information nach außen dringt. Momentan sind wir gerade bemüht, unser Volk nach der Entführung zu beruhigen. Mein einziger Wunsch ist es jetzt, dass für die Bevölkerung und Prinzessin Gabriella Ruhe einkehrt."

„Loubet hat Recht, Alexander", warf Armand sachlich ein, aber Gabriella hörte den liebevollen Unterton heraus.

„In der Theorie. Aber wir haben bereits Fremde in die Sache hineingezogen", bemerkte Alexander mit einem abweisenden Blick auf Reeve. „Gabriella braucht Ruhe und Pflege. Wer immer dafür verantwortlich ist ..." Seine Finger krampften sich um den Stiel seines Glases. „Wer immer für die Entführung verantwortlich ist, wird es teuer bezahlen."

„Alexander", sagte Gabriella und legte ihm mit einer ihr eigenen Geste, deren sie sich selbst allerdings nicht bewusst war, die Hand auf den Arm. „Ich muss mich erst erinnern an das, was geschehen ist. Vorher können wir niemand dafür zur Rechenschaft ziehen."

„Wenn der Zeitpunkt gekommen ist, wirst du dich schon erinnern. In der Zwischenzeit ..."

„In der Zwischenzeit", unterbrach ihn sein Vater, „muss Brie in jeder nur denkbaren Weise geschützt werden. Und nach reiflicher Überlegung bin ich mit

Loubet zu dem Schluss gekommen, dass ein Teil dieses Schutzes dadurch erreicht wird, die Nachricht um den Gedächtnisverlust nicht in die Öffentlichkeit dringen zu lassen. Wenn den Entführern bekannt werden sollte, dass wir von dir nichts erfahren haben, dann könnten sie auf den Gedanken kommen, dich zum Schweigen zu bringen, ehe du deine Erinnerung wiedergewinnst." Armand hatte sich an Gabriella gewandt.

Gabriella griff nach ihrem Glas und nahm ruhig einen Schluck. Doch Reeve bemerkte, dass ihre Augen alles andere als ruhig dreinblickten.

„Wie können wir es verbergen?"

„Mit Verlaub, Eure Hoheit", begann Loubet nach einem Blick auf Armand, ehe er sich an Gabriella wandte, „bis Sie wieder vollkommen hergestellt sind, halten wir es für das Beste, dass Sie zu Hause bleiben, bei den Menschen, die unser größtes Vertrauen genießen. Es ist ein Leichtes, Ihre öffentlichen Auftritte zu verschieben oder ganz abzusagen. Die Entführung, die Aufregungen und der damit verbundene Schock genügen allein schon als Erklärung. Der Arzt der Sie behandelt, steht auf der Seite Ihres Vaters. Wir müssen nicht befürchten, dass durch ihn Meldungen über Ihren Gesundheitszustand bekannt werden, die wir nicht gebilligt haben."

Brie setzte ihr Glas auf den Tisch zurück. „Nein."

„Ich bitte um ..."

„Nein", wiederholte sie ruhig. Ihr Blick ging zu Fürst Armand. „Ich werde hier nicht wie eine Gefangene leben. Ich wurde lange genug gefangen gehalten. Wenn ich Verpflichtungen habe, werde ich sie auch erfüllen." Bennett strahlte seine Schwester an und prostete ihr mit seinem Glas zu.

„Eure Hoheit Sie müssen verstehen, wie kompliziert und gefährlich das sein wird. Und sei es auch nur deshalb, weil die Polizei erst herausfinden muss, wer die Entführer sind."

„Das heißt, dass ich eingeschlossen und festgehalten werden soll." Gabriella schüttelte den Kopf. „Und das lehne ich entschieden ab."

„Gabriella, unsere Pflichten sind uns nicht immer angenehm." Ihr Vater drückte seine Zigarette aus.

„Vielleicht nicht. Im Moment kann ich leider nicht aus Erfahrung sprechen." Sie sah auf ihre Hände, auf den ihr inzwischen vertrauten Ring hinab. Wer immer mich entführt hat, ist noch in Freiheit. Ich will gewiss nicht, dass die Kidnapper damit durchkommen. Monsieur Loubet ... Sie kennen mich doch, nicht wahr?"

„Eure Hoheit, seit Ihrer Kindheit."

„Würden Sie mich als eine einigermaßen vernünftige Person bezeichnen?"

„Mehr als nur das", antwortete Loubet.

„Dann bin ich davon überzeugt, dass ich mit ein wenig Hilfe meinen Willen und Sie Ihren haben könnten. Man wird, wenn das so am besten ist, den Gedächtnisverlust verschweigen, und ich muss dennoch nicht ständig in meinen Räumen bleiben!"

Armand schien etwas sagen zu wollen, lehnte sich jedoch stumm zurück. Ein flüchtiges Lächeln spielte um seine Lippen. Meine Tochter, dachte er zufrieden, hat sich nicht verändert.

„Eure Hoheit, es wäre mir ein persönliches Vergnügen, Ihnen zu helfen, aber ..."

„Vielen Dank, Loubet aber Mr. MacGee hat sich schon dazu bereit erklärt." Ihre Stimme klang freundlich, aber entschlossen. „Was ich wissen muss, um nach außen hin Prinzessin Gabriella zu sein, wird er mir sagen."

Sie spürte Alexanders erneuten Widerstand, Neugier von Armand und kaum unterdrückten Ärger von Loubets Seite. Auch Reeve bemerkte diese Reaktionen.

„Die Prinzessin und ich haben ein privates Abkommen getroffen." Amüsiert beobachtete er das Verhalten der Umsitzenden. „Sie ist der Ansicht, dass die Gesellschaft eines Fremden bestimmte Vorteile für sie habe."

„Wir sprechen später darüber", erklärte Armand

und stand auf. Obwohl seine Worte nicht abrupt klangen, wirkten sie doch so endgültig wie die seiner Tochter. „Ich bedauere, dass Ihre Termine Ihnen nicht die Möglichkeit lassen, mit uns zu speisen, Loubet. Wir werden unsere Angelegenheit morgen früh weiterbesprechen."

„Ja, Eure Hoheit."

Man verabschiedete sich höflich voneinander, und Loubet war damit entlassen. Gabriella sah ihm nachdenklich hinterher. „Er macht einen ehrlichen und loyalen Eindruck. Mag ich ihn?"

Lächelnd ergriff der Regent ihre Hand. „Darüber hast du dich nie besonders geäußert. Er führt sein Amt gut."

„Und ist ein grenzenloser Langweiler", verkündete Bennett wenig charmant, indem er sich erhob. „Lass uns essen." Er hakte Gabriella unter und zog sie an sich. „Wir speisen heute vom Allerfeinsten, um deine Rückkehr zu feiern. Wenn du willst, kannst du ein halbes Dutzend Austern essen."

„Mag ich denn Austern?"

„Du bist ganz wild danach", antwortete er schelmisch und führte sie in das Speisezimmer.

„Nun ja, es war unterhaltsam, festzustellen, dass Bennett zu Scherzen aufgelegt ist", sagte Gabriella zwei

Stunden später, als sie mit Reeve hinaus auf die Terrasse trat.

„Fanden Sie es auch amüsant, festzustellen, dass Sie einen Scherz vertragen können?"

„Eigentlich schon. Ich habe außerdem gelernt, dass ich Austern verabscheue und einen Charakter habe, der Vergeltung verlangt. Ich werde es ihm schon heimzahlen, mich dazu gebracht zu haben, eine dieser schrecklichen Dinger herunterzuschlucken. In der Zwischenzeit ..." Sie wandte sich um und lehnte sich an die steinerne Balustrade. „Ich sehe, dass ich Sie in eine wenig angenehme Situation gebracht habe, Reeve. Das lag nicht in meiner Absicht, aber nun, da es so ist, will ich Sie auch gar nicht daraus befreien, muss ich gestehen."

„Ich werde schon damit fertig werden, wie ich es für richtig halte."

Wieder lächelte Gabriella, und plötzlich ging ihr Lächeln in ein herzliches Lachen über. „Ja", rief sie aus, „das sieht Ihnen ähnlich. Vielleicht fühle ich mich deshalb in Ihrer Nähe so wohl. Heute Abend habe ich übrigens Ihren Rat befolgt. Er war ausgezeichnet!" Alle Ängste waren von ihr abgefallen, und es war bedeutend leichter, mit der momentanen Anspannung Reeve gegenüber fertig zu werden.

„Welcher war das?" Reeve folgte ihren Gedankensprüngen nicht gleich.

„Zu beobachten. Ich habe einen guten Vater. Er nimmt seine Aufgaben nicht auf die leichte Schulter, und die Aufregungen der letzten Woche lasten schwer auf ihm. Die Diener behandeln ihn mit großem Respekt, aber furchtlos. Bestimmt ist er ein gerechter Mensch. Sind Sie derselben Ansicht?"

Das Mondlicht fiel sanft auf ihr Haar und ließ den Perlenreif wie Tränen schimmern. „Ja", bestätigte er leise.

„Alexander ist ... Mir fehlt das richtige Wort." Mit einem Kopfschütteln sah sie hoch zum Himmel, und Reeve fiel ihr grazilerer, schmaler Hals auf. „Besessen, würde ich sagen. Er hat die Intensität eines viel älteren Mannes. Vielleicht braucht er das. Offenbar mag er Sie nicht besonders." Sie wandte ihm ihr Gesicht wieder zu, und sein Blick blieb auf ihren vollen Lippen hängen.

„Nein."

„Das stört Sie nicht?"

„Ich kann nicht von jedem erwarten, dass er mich mag."

„Ich wünschte, ich hätte Ihr Selbstvertrauen", flüsterte sie.

„In jedem Fall habe ich leider noch zu der Abneigung beigetragen, die er vielleicht bereits für Sie hatte. Als ich heute Abend sagte, dass ich gern in Ihrer Begleitung in den Garten gehen würde, habe ich ihn verärgert. Sein Familiensinn ist sehr stark ausgeprägt."

„Seiner Ansicht nach trägt er die Verantwortung für Sie", entgegnete Reeve. Sein Tonfall klang gelassen.

„Er wird seine Meinung ändern müssen. Bennett und er sind so verschieden. Bennett wirkt völlig sorglos. Vielleicht liegt es an seinem Alter oder daran, dass er der jüngste Sohn ist. Dennoch hat er mich beobachtet, als könnte ich jeden Moment stolpern und er müsste mich dann auffangen. Was halten Sie von Loubet?"

„Ich kenne ihn nicht."

„Ich ebenso wenig", meinte Gabriella trocken. „Aber Ihre Meinung?"

„Auch er nimmt sein Amt sehr ernst."

Gabriella fand, dass diese Antwort weder eine Ausflucht noch eine richtige Stellungnahme war. „Sie sind ein sehr sachlicher Mensch, Reeve, nicht wahr? Ist das ein amerikanischer Charakterzug?"

„Ich nehme Nebensächlichkeiten halt nicht so ernst. Auch Sie machen einen äußerst sachlichen Eindruck."

„Wirklich?" Nachdenklich verzog sie den Mund. „Vielleicht stimmt das, aber vielleicht bin ich das jetzt nur aus der Notwendigkeit heraus. Ich kann mir keine Aufregungen leisten, oder?"

Die Anstrengungen des Abends waren größer, als sie

zugeben möchte, überlegte Reeve, als Gabriella sich abwandte und mit den Händen auf die Brüstung stützte. Sie war müde, aber er verstand ihren Widerwillen gut. Sie wollte noch nicht hineingehen, da sie dort mit ihren Fragen allein bleiben würde.

„Gabriella, haben Sie darüber nachgedacht, sich ein paar Tage freizunehmen und zu verreisen?" Sie hob den Kopf. Er fühlte ihren Ärger und legte ihr die Hand auf die Schulter. „Nicht weglaufen, sondern verreisen. Das wäre nur menschlich."

„Ich kann es mir nicht leisten, menschlich zu sein, bis ich weiß, wer ich bin."

„Ihr Arzt meint, der Gedächtnisverlust sei vorübergehend."

„Was heißt vorübergehend?" verlangte sie zu wissen. „Eine Woche, einen Monat, ein Jahr? Das reicht nicht Reeve. Ich will nicht einfach nur herumsitzen und darauf warten, dass mir alles wieder einfällt. Im Krankenhaus hatte ich Träume." Einen Augenblick lang schloss sie die Augen, atmete tief durch und fuhr dann fort: „In diesen Träumen war ich hellwach und doch benommen. Ich konnte mich nicht bewegen. Es war finster, und ich war nicht in der Lage, mich zu rühren. Da waren Laute. Ich konnte Stimmen hören, und ich kämpfte darum, sie zu verstehen oder sie zu erkennen, aber ich fürchtete mich. Im Traum war ich zu Tode erschrocken, und als ich dann aufwachte, war ich es auch."

Heftig zog Reeve an seiner Zigarette. Brie hatte das alles ohne Gefühlsregung erzählt, und das bedeutete eine Menge. „Sie waren unter Drogeneinfluss", erklärte er sachlich.

Sehr langsam wandte sich Gabriella zu ihm um. Im Dämmerlicht wirkten ihre Augen noch strahlender. „Woher wissen Sie das?"

„Die Ärzte mussten Ihren Magen auspumpen. Dem Zustand nach zu urteilen, in dem Sie sich befanden, hatte man Ihnen offenbar Drogen eingegeben. Selbst wenn Ihr Erinnerungsvermögen wieder zurückkommt, ist es möglich, dass Sie sich an nichts entsinnen können, was während der Woche Ihrer Gefangenschaft geschehen ist. Das sollten Sie besser wissen."

„Ja, das werde ich." Sie kniff die Lippen zusammen. Erst als sie sicher war, dass ihre Stimme wieder einen festen Klang hatte, sprach sie weiter. „Ich werde mich daran erinnern. Wie viel wissen Sie noch?"

„Nicht sehr viel mehr."

„Erzählen Sie es mir, erzählen Sie mir alles."

Reeve schnippte seine Zigarette über die Brüstung hinweg ins Dunkle. „Nun gut. Sie wurden irgendwann am Sonntag entführt. Niemand kennt den genauen

Zeitpunkt, da Sie allein waren. Am Sonntagabend nahm Alexander dann den ersten Anruf entgegen."

„Alexander?"

„Ja, er arbeitet gewöhnlich an Sonntagabenden in seinem Büro. Dort hat er einen direkten Telefonanschluss, wie jeder der königlichen Familie, in seinen Räumen. Es war ein kurzes Gespräch. Die Entführer teilten lediglich mit, dass sie Sie in ihren Besitz gebracht hätten und sie so lange festhielten, bis die Forderungen erfüllt seien. Zu dem Zeitpunkt aber wurden noch keine Bedingungen gestellt."

„Und wo hat man mich gefangen gehalten?" Im Dunkeln, das ist das Einzige, woran ich mich entsinne, dachte sie. „Was unternahm Alex dann?"

„Er ging umgehend zu Ihrem Vater. Die Suche nach Ihnen wurde sofort eingeleitet. Am Montag fand man morgens Ihr Auto verlassen auf einer Straße vor, ungefähr vierzig Meilen von der Stadt entfernt. Und zwar in der Nähe eines kleinen Grundstückes, das Ihnen gehört. Wie ich vernahm, haben Sie die Gewohnheit, manchmal dort hinauszufahren, um allein zu sein. Am Montagnachmittag wurde dann die erste Forderung mitgeteilt. Dabei ging es um Lösegeld. Es stand außer Zweifel, dass diese Bedingung erfüllt würde, doch noch ehe man dafür die Vorkehrungen treffen konnte, kam der nächste Anruf. Darin wurde die Bedingung gestellt, vier Gefangene im Austausch für Sie freizulassen."

„Und das komplizierte die Lage."

„Zwei von ihnen sind wegen Spionage zum Tode verurteilt", fuhr Reeve fort, während Brie ihm schweigend weiter zuhörte. „Dadurch wurde die Angelegenheit Ihrem Vater aus der Hand genommen. Geld war eine Sache, aber Gefangene freizulassen, war ganz etwas anderes. Die Verhandlungen waren noch im Gange, als Sie am Straßenrand gefunden wurden."

„Ich werde dorthin zurückkehren", sagte Gabriella, „wo man meinen Wagen gefunden hat, und auch dorthin, wo ich entdeckt wurde."

„Jetzt noch nicht. Ich habe Ihnen meine Hilfe zugesichert, aber es soll auf meine Art geschehen."

Sie sah ihn scharf an. „Und die wäre?"

„Meine Art", antwortete Reeve einfach. „Sobald ich davon überzeugt bin, dass Sie kräftig genug sind, werde ich Sie dorthin bringen. Bis dahin gehen wir alles gemächlich an."

„Wenn ich nicht einverstanden bin?"

„Dann könnte ihr Vater Loubets Plan in ernstere Erwägungen ziehen."

„Somit könnte ich nirgendwohin."

„Ganz recht."

„Ich wusste, dass Sie ein schwieriger Mensch sind,

Reeve." Gabriella machte einige Schritte von ihm weg und stand dann im Mondlicht. „Ich habe keine echte Wahl, und das passt mir nicht. Die Freiheit meiner eigenen Entscheidung scheint mir das Wichtigste im Leben. Ich frage mich, wann ich wieder dazu in der Lage sein werde. Nachdem ich mich morgen mit meiner Sekretärin getroffen haben werde ..."

„Smithers", half ihr Reeve nach. „Janet Smithers."

„Welch unattraktiver Name", meinte Gabriella. „Ich werde morgen früh mein Tagespensum mit dieser Janet Smithers durcharbeiten. Danach möchte ich es mit Ihnen durchgehen. Ich will meine Aufgaben wahrnehmen, gleich welcher Natur sie auch sind." Mit einem Schulterzucken wechselte Gabriella plötzlich das Thema. „Heute Abend, als ich vor dem Essen in der Badewanne lag, habe ich mir ein paar Gedanken gemacht. Übrigens über Sie."

Langsam steckte Reeve die Hände in die Taschen. „Über mich?"

„Ich habe versucht, Sie zu analysieren. In mancher Hinsicht ist es mir gelungen, in anderer wieder nicht. Wenn ich über große Erfahrungen mit Männern verfügt haben sollte, so sind sie mir wie alles andere abhanden gekommen!"

Ohne jede Verlegenheit ging sie wieder zu Reeve

hinüber. „Ich habe mich gefragt, ob ich diesen Teil meines Wesens wieder entdecken würde, wenn ich Sie küsse, oder wenn Sie mich umarmen."

Reeve richtete sich auf und sah sie verblüfft an. „Zählt das ebenfalls zu meinen Aufgaben, Eure Hoheit?"

Ärger blitzte in ihren Augen auf. „Es ist mir gleich, wie Sie es sehen."

„Aber mir vielleicht nicht."

„Finden Sie mich unattraktiv?" Kokett verzog sie den Mund. Wenn sie eine Frau war, die an einfallsreiche, blumige Komplimente gewohnt war, so würde er sie gewiss nicht machen. Schon aus Trotz nicht. „Nicht unattraktiv."

Sie überlegte, warum die Antwort fast wie eine Beleidigung wirkte. „Nun gut, gibt es in Ihrem Leben eine Frau, an die Sie gebunden sind? Kämen sie sich treulos vor, wenn Sie mich küssten?"

Reeve blieb ruhig stehen, das amüsierte Lächeln noch immer auf den Lippen. „Ich habe keine Verpflichtungen, Eure Hoheit."

„Warum titulieren Sie mich jetzt plötzlich wieder so?" verlangte Gabriella zu wissen. „Nur um mich zu ärgern?"

„Ja."

Zorn stieg in ihr hoch, doch dann brach sie in Lachen aus. „Es funktioniert."

„Es ist schon spät. Ich begleite Sie nach oben!" Reeve wechselte das Thema und zog mit einer freundlichen Geste ihre Hand an sich.

„Sie finden mich nicht unattraktiv, Sie haben keine Bindungen", fuhr Gabriella beharrlich fort und ging zaudernd neben ihm her. „Warum geben Sie mir dann keinen Kuss und sind mir behilflich? Das haben Sie mir versprochen."

Reeve blieb stehen und sah auf sie herunter. Gabriella reichte ihm gerade bis zum Kinn. Sie legte den Kopf zurück und blickte ihm direkt in die Augen. „Ich habe Ihrem Vater versprochen, jede Aufregung von Ihnen fern zu halten", fuhr er fort.

„Sie haben mir zugesichert, mir bei der Suche nach mir selbst zu helfen. Aber vielleicht hat Ihr Wort keine Bedeutung", sagte sie leichthin. „Vielleicht sind Sie auch ein Mann, dem es keinen Spaß macht, eine Frau zu küssen."

Gabriella hatte nur zwei weitere Schritte machen können, da hielt Reeve sie auch schon am Arm fest. „Treiben Sie etwa Ihr Spiel mit mir?"

Sie lächelte. „Eigentlich nicht."

Reeve nickte, dann zog er sie in seine Arme. „Ich ebenso wenig."

Er küsste sie auf die Lippen, leidenschaftslos, unbeteiligt. Er verstand ihr Motiv, ihre Beweggründe, aber es war ihm völlig klar, dass er sich da auf etwas einließ, was er besser nicht tun sollte. Hatte er sich nicht selbst gefragt, wie dieser herrliche weiche, geschwungene Mund sich bei einem Kuss anfühlte? Hatte er sich nicht auch vorgestellt, wie sich der schlanke, zerbrechliche Körper in seine Arme schmiegen würde? Aber er war hier, um einen Auftrag auszuführen, und so etwas hatte er nie auf die leichte Schulter genommen. Deshalb war sein Kuss so unbeteiligt.

Das blieb jedoch nur einen Augenblick lang so.

Gabriella war weich, zierlich, zauberhaft. Er musste sie beschützen. Sie war warm, verführerisch, erregend. Er musste sie besitzen.

Sie hatte ihre Augen weit geöffnet. Reeve legte seine Hand unter ihr Kinn und erwiderte ihren erwartungsvollen Blick. Er vergaß jede Hemmung und küsste sie mit Verlangen.

Ihre Zungen berührten sich, zunächst tastend, forschend, neugierig. Gabriella schlang ihre Arme auffordernd um seinen Hals, so dass ihre Körper sich sehnsüchtig aneinander pressen konnten.

Gabriella wusste plötzlich, was kommen würde. Im Innersten regten sich Erinnerungen an frühere Küsse. Und doch war es anders. Sie gab sich Reeves Kuss hin, als hätte sie nie etwas Ähnliches erlebt. Alles war neu für sie, frisch, aufregend und erregend. Selbst die schwachsten Erinnerungen verblassten in diesem Sturm der Gefühle, und sie verspürte ein ihr völlig unbekanntes, elementares Verlangen, das schmerzte und forderte.

Er bedeckte ihr Gesicht mit Küssen, voller Begehren und Sehnsucht. Fordernd drängte er sich an sie, flüsterte ihren Namen.

War dies das erste Mal, oder hatte es früher ähnliche Erlebnisse gegeben? Hatte sie sich zuvor schon einmal einer solchen aufflammenden Leidenschaft hingegeben? Was hatte es ihr damals bedeutet? Nichts – oder alles, wie jetzt?

Verwirrt zog sie sich von Reeve zurück. Welche Frau schenkte einem Mann ihr Herz, ohne ihn richtig zu kennen? Zweifel begannen sich in ihr zu regen. „Reeve, ich bin nicht sicher, ob es mir geholfen hat."

Reeve hatte ihren Gefühlsumschwung bemerkt. Noch einmal wollte er sie umarmen, sie nahe an sich spüren, aber die Zweifel begannen auch an ihm zu nagen und ließen ihn zögern. Wie viele andere Männer hatte es vor ihm gegeben?

Er reichte Gabriella die Hand und sagte in sachlichem Tonfall: „Wir sollten beide eine Nacht darüber schlafen."

Doch unbeteiligt konnte er in Zukunft bestimmt nicht mehr sein.

## 5. Kapitel

*G*abriella kam sich wie eine Betrügerin vor. Sie saß in ihrem elegant eingerichteten Büro nur deshalb, weil Reeve sie dorthin gebracht hatte. Um acht Uhr hatte er an ihre Tür geklopft und nichts weiter gesagt als: „Sind Sie fertig?"

Nach einem kurzen, schweigsamen Gang durch verschiedene Korridore waren sie in diesem Raum im dritten Stock des Ostflügels angekommen. Im Gegensatz zu ihm war sie recht nervös gewesen. Als Erstes hatte Gabriella sich in dem Zimmer umgesehen. Es war nicht sehr groß, aber dennoch hell und hatte eine praktische Einrichtung in sehr geschäftsmäßigem Stil, der ihr gefiel. Ein schwerer Schreibtisch aus Mahagoni stand in der Mitte des Raumes, ordentlich aufgeräumt. Zwei Gobelinstühle mit orientalisch anmutenden Mustern flankierten ihn, überall standen kostbare Porzellanvasen mit frischen Blumen, deren Farben offensichtlich auf die Pastelltöne der Wandbespannungen abgestimmt waren.

Gabriella nahm eine Blüte in die Hand und spielte damit.

„Hier arbeite ich also." Gabriella betrachtete den dicken, ledergebundenen Terminkalender auf ihrem Schreibtisch. Wenn sie ihn öffnete, würde sie mit den

Verabredungen für Gala-Empfänge, mit den Einladungen zum Tee und den vielen Einkäufen fertig werden? „Was habe ich denn genau zu tun?"

Die Frage klang fordernd und bittend zugleich.

Reeve war bestens vorbereitet. Während Gabriella am vergangenen Nachmittag geschlafen hatte, war er ihren Terminkalender durchgegangen, hatte einen Blick in ihre Post geworfen und sogar ihr Tagebuch gelesen. Es gab jetzt sehr wenig, was er nicht von Ihrer Königlichen Hoheit, der Prinzessin Gabriella de Cordina, wusste. Die Gabriella Bisset lag jedoch nicht so offen vor ihm.

Er hatte eine Stunde mit ihrer Sekretärin, eine weitere mit dem Majordomus des Palastes verbracht und hatte ein kurzes, vorsichtiges Gespräch mit der ehemaligen Kinderfrau geführt, in dem er den durch Generationen entwickelten Mutterinstinkt der alten Frau behutsam beruhigen musste. Die gewonnenen Informationen ließen das Bild der Prinzessin Gabriella klarer werden, und machten Gabriella Bisset für ihn nur noch reizvoller.

„Sie haben eine Reihe von Aufgaben", begann Reeve sachlich und trat auf den Schreibtisch zu. „Einige sind alltägliche Pflichten, andere tragen offiziellen Charakter."

„Aufgaben?" fragte sie nach. Reeve strich sanft über

ihre Hand, mit der sie ihren Terminkalender hielt. Sofort fielen Gabriella die Ereignisse der vergangenen Nacht wieder ein, die Erregung und das Verlangen, das sie verspürt hatte. Einen Moment lang ließ sie ihre Hand so liegen.

Wieder spürte Reeve seine Sympathie für Gabriella, er konnte es nicht leugnen. Die Hand unter der seinen war ruhig, Gabriellas Stimme hatte einen festen Klang, doch in ihrem Blick las er die Verwirrung und die Selbstzweifel, die sie quälten. „Setzen Sie sich, Brie."

Die Zärtlichkeit, mit der er zu ihr sprach, ließ sie zögern. War eine Frau vor einem Mann, der so voller Zuneigung sprach, sicher? Langsam entzog sie ihm ihre Hand und ließ sich auf einem der gepolsterten Stühle nieder. „Also gut, wird das jetzt meine erste Nachhilfestunde?"

„Sie können es so sehen." Reeve setzte sich auf die Schreibtischkante, so dass er sich in sicherer Entfernung von Brie befand und ihr gerade ins Gesicht sehen konnte. „Erzählen Sie mir, was Ihnen einfällt, wenn Sie von sich als Prinzessin denken?"

„Wollen Sie mich analysieren?"

Reeve schlug die Beine übereinander. „Das ist eine einfache Frage. Geben Sie mir darauf eine einfache Antwort."

Gabriella lächelte und schien sich zu entspannen. „An Märchenprinzen, gläserne Schuhe und gute Feen." Sie streichelte leicht mit der Rosenblüte über ihre Wange und sah an Reeve vorbei auf die Sonnenkringel, die dem Fußboden ein lustiges Muster gaben. „Diener in prachtvollen Uniformen, Kutschen mit Sitzen aus weißem Satin, hübsche Silberkrönchen und rauschende Gewänder. Und Menschenmengen ... Menschenmengen", wiederholte sie und blickte starr hinaus in das Sonnenlicht, „die unter dem Fenster jubeln. Die Sonne sticht in den Augen, so dass man kaum richtig sehen kann, aber man hört das Volk. Man winkt. Ein starker Rosenduft liegt in der Luft. Ein Meer von Menschen, die lauter und lauter rufen, eine fröhliche Welle herzlicher Zuneigung." Plötzlich verstummte Gabriella und ließ die Rose auf ihren Schoß sinken.

Ihre Hand hatte zu zittern begonnen, Reeve bemerkte es, kurz bevor sie die Blume fallen ließ. „Ist das alles Einbildung oder Erinnerung?" forschte er.

„Ich ..." Wie konnte sie ihm das erklären? Sie hörte noch immer die Jubelrufe und nahm den Duft der Rosen wahr, aber sie konnte sich nicht genau daran erinnern. Sie spürte förmlich, wie ihr die Sonne in den Augen wehtat, aber sie konnte einfach nicht an das Fenster treten. „Nur Eindrücke", sagte sie daher nach einem kurzen Schweigen. „Sie kommen und gehen, aber sie bleiben nie."

„Zwingen Sie sich nicht."

Gabriella fuhr herum. Ich will ..."

„Ich weiß, was Sie wollen." Reeves Stimme klang ruhig, fast sorglos. Gabriellas Miene zeigte einen Anflug von Verärgerung. Er wusste jedoch damit umzugehen und hob den Terminkalender hoch, ohne ihn zu öffnen. „Ich werde Ihnen einen ganz normalen Arbeitstag Ihrer königlichen Hoheit, der Prinzessin Gabriella de Cordina beschreiben."

„Und woher kennen Sie den Tagesablauf?"

Reeve wog das Buch in seiner Hand und warf ihr einen Blick zu. „Es ist meine Pflicht, mich zu informieren. Sie stehen immer um halb acht auf und frühstücken in Ihrem Zimmer. Von halb neun bis zehn Uhr besprechen Sie sich mit dem Palastmanager."

„Régisseur." Brie runzelte die Stirn. „Man nennt ihn Régisseur, nicht Manager."

Reeve äußerte sich nicht dazu und ließ Gabriella Zeit, herauszufinden, warum dieser Ausdruck ihr so geläufig war. Dann fuhr er fort: „Sie bestimmen die tägliche Speisenfolge. Ist kein offizielles Diner angesetzt, so wird mittags die Hauptmahlzeit eingenommen. Diese Pflichten haben Sie nach dem Tode Ihrer Mutter übernommen."

„Ich verstehe!" Sie erwartete eigentlich, den Schmerz des Verlustes zu spüren, doch nichts regte sich in ihr.

„Fahren sie fort."

„In der folgenden halben Stunde erledigen Sie hier in Ihrem Büro die offizielle Korrespondenz mit Ihrer Sekretärin. Im Allgemeinen diktieren Sie ihr die Antworten und unterzeichnen die Briefe dann später."

„Wie lange arbeitet sie schon bei mir?" fragte Gabriella plötzlich. „Diese Janet Smithers?"

„Nicht ganz ein Jahr. Ihre frühere Sekretärin bekam ihr erstes Kind und schied aus."

„Bin ich ..." Gabriella suchte nach der passenden Formulierung. „Habe ich ein gutes Verhältnis zu ihr?"

Reeve sah auf. „Niemand hat mir etwas Gegenteiliges berichtet."

Unwillig schüttelte Gabriella den Kopf. Wie sollte sie einem Mann erklären, dass sie wissen wollte, wie sie zu ihrer Sekretärin von Frau zu Frau stand? Wie sollte sie ihm klar machen, dass ihr daran gelegen war, zu wissen, ob sie eine enge Freundschaft zu einer Frau hatte, die in der Lage war, den durch Männer geprägten Horizont am Hofe zu durchbrechen? Vielleicht war dies etwas, was sie für sich selbst ausfindig machen musste. „Bitte, berichten Sie weiter", forderte sie ihn auf.

„Wenn Zeit genug ist, kümmern Sie sich während dieser halben Stunde auch um Ihre Privatkorrespondenz. Andernfalls bleiben diese Briefe bis abends liegen", fuhr Reeve fort.

Das alles erschien Gabriella langweilig, aber Pflichten waren ja oft langweilig. „Worin besteht die offizielle Korrespondenz?"

„Sie sind die Präsidentin der Gesellschaft zur Hilfe für behinderte Kinder. Sie ist Cordinas größte karitative Organisation. Außerdem repräsentieren Sie das Internationale Rote Kreuz. Weiterhin haben Sie sich sehr für das Museum der Schönen Künste engagiert, das zur Erinnerung an Ihre Mutter errichtet wurde. Es ist Ihre Aufgabe, den Schriftwechsel mit den Gattinnen der Staatsoberhäupter zu führen, sich in verschiedenen Ausschüssen zu betätigen, Einladungen anzunehmen oder abzulehnen und vor allem die Gastgeberin bei offiziellen Anlässen zu sein. Die Politik und die Regierungsgeschäfte liegen in den Händen Ihres Vaters, teilweise jedoch auch bei Alexander!"

„Ich bin also mehr für die weiblichen Aspekte der Verpflichtungen verantwortlich?"

Reeve musste plötzlich lächeln. Dieses Lachen war sehr sympathisch, fand Gabriella. „Nach einem Blick auf Ihren Zeitplan würde ich das nicht so sagen."

„Bis jetzt besteht er doch nur daraus, Briefe zu beantworten", antwortete sie belustigt.

„An drei Tagen in der Woche arbeiten Sie in der
Zentrale der Gesellschaft zur Hilfe behinderter Kinder.
Wenn Sie mich fragen, ich möchte den Berg an Briefen
nicht erledigen müssen. Seit eineinhalb Jahren bestür-
men Sie den Nationalrat um eine Etaterhöhung für das
Museum der Schönen Künste. Im letzten Jahr haben Sie
für das Rote Kreuz fünfzehn Länder bereist und waren
unter anderem zehn Tage in Äthiopien. WORLD MA-
GAZINE hat eine zehnseitige Reportage darüber gebracht. Ich werde Ihnen von dem Artikel eine Kopie
beschaffen."

Gabriella griff erneut nach der Rose, dann stand sie
auf. „Mache ich meine Arbeit gut?" verlangte sie zu
wissen. „Weiß ich, weshalb ich sie tue, oder bin ich nur
eine Art Aushängeschild?"

Reeve nahm sich eine Zigarette. „Beides. Eine schöne junge Prinzessin zieht natürlich die Aufmerksamkeit
auf sich, vor allem die der Presse. Sie lebt mit dem öffentlichen Interesse und ist deshalb gut in der Lage, fi-
nanzielle Unterstützung für karitative Zwecke zu erbit-
ten. Eine kluge, junge Frau weiß diese Stellung zu nutzen und ihr Geschick einzusetzen. Ihrem Tagebuch zufolge ..."

„Sie haben mein Tagebuch gelesen?"

Reeve überraschte die Mischung aus Zorn und Verlegenheit, die sich in ihrem Gesicht widerspiegelte. Sie konnte doch gar nicht wissen, ob es einen Grund gab, verlegen zu sein. „Sie haben mich gebeten, Ihnen zu helfen", erinnerte er Gabriella. „Ich kann das nicht, wenn ich Sie nicht einmal kenne. Sie können jedoch beruhigt sein, Gabriella, Sie sind ein sehr diskreter Mensch, selbst in Ihrem Tagebuch."

Es hatte keinen Sinn, sich zu zieren. Reeve würde das nur genießen. „Was sagten Sie gerade?" fragte sie also möglichst gelassen.

„Ihrem Tagebuch zufolge, empfinden Sie die Reisen als anstrengend. Sie haben diese Fahrten nie sehr gern unternommen, aber Sie machen sie jedes Jahr aufs Neue, weil Sie die Notwendigkeit dafür einsehen. Gelder müssen gesammelt und Verpflichtungen wahrgenommen werden. Sie arbeiten hart, Gabriella, das kann ich Ihnen bestätigen."

„Ich muss Ihnen wohl Glauben schenken." Gabriella steckte die Rose wieder zurück in die Vase. „Und jetzt möchte ich anfangen. Wenn ich meinen Gedächtnisschwund so diskret wie möglich überspielen soll, dann benötige ich als Erstes die Namen der Leute, die ich kennen muss." Sie ging um den Schreibtisch herum, setzte sich in den Sessel und nahm einen Kugelschreiber zur Hand. Erzählen Sie mir, was Sie wissen. Dann rufe ich diese Janet Smithers. Habe ich heute einen Termin?"

„Um ein Uhr bei der Gesellschaft zur Hilfe für behinderte Kinder."

„Sehr schön. Ich muss vorher noch eine Menge lernen."

Bevor Reeve die Prinzessin mit ihrer Sekretärin allein ließ, hatte er ihr mehr als fünfzig Namen genannt, mit den dazugehörigen Erklärungen und Hintergrundinformationen. Es wäre schon beachtlich, wenn Gabriella sich auch nur an die Hälfte erinnerte.

Hätte er die Wahl gehabt, so wäre er jetzt in sein Auto gestiegen und irgendwohin gefahren. An die See, oder in die Berge, das war ihm gleich. Paläste, egal wie riesig oder schön sie waren, welche historische Faszination von ihnen auch ausgehen mochte, waren doch nur Wände, Decken und endlose Gänge. Er brauchte jetzt eigentlich den freien Himmel über sich.

Auf seinem Weg in den vierten Stock zum Büro des Fürsten, blieb Reeve kurz an einem Fenster stehen und warf einen Blick auf die Stadt, die in der Morgensonne lag.

Oben klopfte er dann an die Tür und wurde umgehend eingelassen. Der Fürst saß beim Kaffee in einem Raum, der doppelt so groß wie der Gabriellas war, prachtvoller und entschieden männlicher. An der Decke waren kunstvoll gestaltete und vergoldete Stuckaturen, und in der Mitte des Raumes standen bequeme Sessel und ein massiver Eichenschreibtisch. Die Fenster waren geöffnet, und das Licht flutete über den riesigen roten Teppich.

„Gerade ist Loubet gegangen", begann Armand das Gespräch. „Haben Sie schon die Zeitung gelesen?"

„Ja." Reeve nahm dankend eine Tasse Kaffee entgegen, die der Fürst ihm angeboten hatte, blieb jedoch stehen, da auch Armand sich nicht setzte. Er wusste das Protokoll einzuhalten. „Man ist offensichtlich erleichtert darüber, dass die Prinzessin wieder in Sicherheit ist. Aber es war auch zu erwarten, dass es eine Menge Mutmaßungen über die Entführung selbst geben würde."

„Und natürlich eine ordentliche Portion Kritik an Cordinas Polizei", setzte Armand hinzu. „Auch damit musste man rechnen. Doch andererseits hat diese Kritik so gut wie gar nichts in der Hand, auf das sie sich stützen kann."

Kühl neigte Reeve den Kopf. „Wirklich nichts?"

Jeder hielt dem Blick des anderen stand. „Die Polizei hat ihre Aufgaben, und Sie die Ihren. Sie sind heute Morgen bei meiner Tochter Gabriella gewesen?"

„Ja!"

„Bitte nehmen Sie Platz." Mit einer ungeduldig wirkenden Geste wies Armand auf einen Stuhl. Protokoll hin, Förmlichkeiten her, er selbst wollte stehen bleiben. „Wie geht es ihr?"

Reeve setzte sich und sah dem Fürsten zu, der mit derselben nervösen Haltung durch das Zimmer ging wie vorher seine Tochter. „Physisch gesehen erholt sie sich recht schnell. Aber was den Verlust der Erinnerung angeht, gibt es keine Fortschritte. Ihre Sekretärin unterrichtet sie momentan über verschiedene Personen. Gabriella will ihren Tageslauf von heute an wieder beibehalten."

Armand nahm einen Schluck Kaffee und setzte die Tasse dann auf den Tisch zurück. Er hatte an diesem Morgen eigentlich schon zu viel Kaffee getrunken. „Und Sie werden sie begleiten?"

Auch Reeve nippte an seinem heißen, aromatischen Kaffee. „Ich werde bei ihr sein."

„Es ist schwierig …" Armand unterbrach sich selbst, war um Fassung bemüht. Ist es Ärger, Trauer, Hilflosigkeit? versuchte Reeve herauszufinden. „Es ist schwierig", wiederholte der Fürst jetzt mit völlig beherrschter Stimme, „im Hintergrund zu bleiben und wenig tun zu können. Sie kamen auf meine Bitte hin, blieben auf meinen Wunsch, und jetzt bin ich tatsächlich eifersüchtig auf Sie, weil Sie das Vertrauen meiner Tochter genießen."

„Vertrauen ist sicher zu früh gesagt. Im Moment hält sie mich für nützlich."

Reeve fiel der Verdruss und die Enttäuschung in seiner Stimme auf, und er bemühte sich, ihn nicht zu deutlich werden zu lassen. „Ich kann die Prinzessin über sie selbst informieren, ohne ihr Gefühlsleben zu sehr zu beeinträchtigen."

„Wie ihre Mutter ist sie ein äußerst empfindsamer Mensch. Wenn sie liebt, dann uneingeschränkt. Dieser Wesenszug allein ist schon unschätzbar!"

Armand ließ seinen Kaffee auf dem Tisch stehen und ging hinüber an seinen Schreibtisch. Reeve war sich sicher, dass damit der persönliche Teil ihres Gespräches beendet war. Unmerklich steigerte sich seine Aufmerksamkeit.

„Gestern Abend machte mich Bennett darauf aufmerksam, dass ich Sie in eine schwierige Lage gebracht haben könnte", sagte Armand.

„In welcher Hinsicht?" fragte Reeve, äußerlich entspannt, aber innerlich sehr auf der Hut.

„Sie werden ständig an Gabriellas Seite sein, privat und in der Öffentlichkeit. Auf Grund Ihrer Position wird meine Tochter viel fotografiert. Man interessiert sich für ihr Leben. Meine Gedanken kreisten zu sehr um Gabriellas Sicherheit und ihre Genesung, als dass ich die Verwicklungen berücksichtigt hätte, die sich aus Ihrer Anwesenheit ergeben könnten."

„Hinsichtlich meiner Anwesenheit in Gabriellas Leben?"

Armand verzog ein wenig die Lippen: „Es erleichtert mich, nicht alles genau ausführen zu müssen. Bennett ist jung, und seine eigenen Affären werden in der internationalen Presse mit Vergnügen breitgetreten."

In Armands Ton lag eine Mischung aus Stolz und Verärgerung. Das ist das Schicksal eines Vaters, dachte Reeve amüsiert. Oft genug hatte er diese Reaktion bei seinem eigenen Vater beobachtet. „Vielleicht ist ihm dieses Problem deshalb als Erstem aufgefallen", fuhr Armand fort

„Ich bin hier zum Schutze der Prinzessin", meinte Reeve. „Das ist doch eine sehr einfache Erklärung."

„Es ist für den Herrscher von Cordina nicht so einfach zu rechtfertigen, einen früheren Geheimdienstler, einen Amerikaner, zum Schutze seiner Tochter gerufen zu haben. Das könnte man als Kränkung ansehen. Wir sind zwar ein kleines Land, Reeve, aber ein sehr selbstbewusstes."

Reeve schwieg eine Weile und wog Armands Worte ab. „Möchten Sie, dass ich abreise?" fragte er schließlich.

„Nein."

Reeve war erleichtert. „Ich kann meine Nationalität nicht ändern, Armand."

„Nein." Die Antwort war knapp. „Es wäre allerdings möglich, Ihre Stellung derart zu ändern, dass sie die Möglichkeit hätten, eng an Gabriellas Seite zu sein, ohne dass man auf falsche Gedanken kommen könnte."

Jetzt musste auch Reeve lächeln. „Als Bewerber um ihre Hand?"

„Wieder machen Sie es mir leicht." Armand lehnte sich im Sessel zurück und betrachtete den Sohn seines Freundes.

Unter weniger komplizierten Umständen hätte er vielleicht sogar einer Verbindung zwischen seiner Tochter und Reeve zugestimmt. Es ließ sich nicht leugnen, dass er gehofft hatte, Gabriella schon zu einem früheren Zeitpunkt verheiratet zu sehen. Aus diesem Grunde hatte er sie mit Angehörigen der besten Adelshäuser Englands und Frankreichs bekannt gemacht. Nun ja, auch die MacGees hatten einen beeindruckenden Stammbaum und eine makellose Herkunft. Es wäre ihm nicht unangenehm, wenn dieser rein theoretische Vorschlag, den er jetzt unterbreitete, Wirklichkeit würde.

„Ich schlage sogar vor, noch einen Schritt weiterzugehen. Wenn Sie keine Einwände haben, dann würde ich gern Ihre Verlobung mit Gabriella bekannt geben."

Armand wartete auf eine Reaktion von Reeve, eine Geste, eine Veränderung der Mimik. Reeve verharrte jedoch in rein höflichem Interesse. Armand wusste sehr zu schätzen, dass der Amerikaner seine Gedanken für sich behielt.

„Als ihr Verlobter", fuhr er fort, „können Sie stets an Bries Seite sein, ohne zu Fragen Anlass zu geben."

„Es könnte schon die Frage auftauchen, wie ich nach nur wenigen Tagen Aufenthalt in Cordina zum Verlobten der Prinzessin werden konnte."

Armand nickte und schätzte den klaren sachlichen Einwand. „Meine langjährige Verbindung zu Ihrem Vater macht das mehr als erklärlich. Gabriella reiste erst im vergangenen Jahr in Ihr Heimatland. Man könnte verlauten lassen, dass damals die Beziehung ihren Anfang nahm."

Reeve nahm sich eine Zigarette. „Verlobungen haben es so an sich, dass sie in Eheschließungen enden."

„Richtige Verlobungen schon. Doch diese wird nur zu einem bestimmten Zweck geschlossen. Wenn der Fall beendet ist, werden wir bekannt geben, dass Gabriella und Sie sich eines anderen besonnen haben. Die Verlobung wird aufgelöst und jeder geht wieder seinen eigenen Weg. Die Presse wird sich auf die Geschichte stürzen, doch niemand wird so zu Schaden kommen."

Die Prinzessin und der Farmer, dachte Reeve und

konnte sich ein ironisches Lächeln nicht verkneifen. Das konnte aufregend werden. „Selbst wenn ich zustimmen sollte, so ist doch noch jemand anderes davon betroffen."

„Gabriella wird das tun, was für sie und ihr Land das Beste ist. Die Entscheidung liegt bei Ihnen, nicht bei ihr."

Armand sprach mit der kühlen Selbstverständlichkeit einer Person, die sich ihrer Macht absolut sicher ist.

Hatte Gabriella nicht gesagt, dass es sie am meisten störte, keine eigene Entscheidung treffen zu können, schoss es Reeve durch den Kopf. Er mochte Sympathien für die Prinzessin empfinden, aber er würde diese Entscheidung leider über ihrem Kopf hinweg treffen müssen. „Ich verstehe Ihre Beweggründe, Fürst Armand. Wir werden Ihrem Vorschlag entsprechend vorgehen."

Der Regent erhob sich. „Ich werde mit Gabriella sprechen."

Reeve konnte sich nicht vorstellen, dass sie darüber sehr erfreut sein würde. Im Grunde wünschte er nicht einmal, dass sie sich einfach einverstanden erklärte. Er empfand es als simpler für ihn, wenn sie etwas kratzbürstig und unterkühlt reagieren würde. Denn es war jener Blick des Verlorenseins, der Hilflosigkeit, der ihn so sehr an ihr faszinierte.

Kurz vor ein Uhr verließ Gabriella den Palast. Sie trug ein elegantes Chanel-Kostüm, und ihre offenen Haare wehten im Wind, so dass das Sonnenlicht darauf zu tanzen schien. Ärgerlich wandte sie sich zu Reeve um und blitzte ihn stolz an.

Ein Geschöpf der Sonne, fiel es ihm auf, während er am Wagen auf sie wartete. Sie gehörte einfach nicht hinter Schlossmauern, sondern in die Freiheit unter diesen azurblauen Himmel.

Reeve verbeugte sich leicht während er ihr die Wagentür öffnete. Gabriella sah ihn mit ihren flammenden Augen an. „Sie haben mich hintergangen." Wütend ließ sie sich auf den Vordersitz fallen und sah stur vor sich hin.

Reeve klimperte mit den Autoschlüsseln in seiner Tasche und ging auf die Fahrerseite hinüber. Er konnte diese Angelegenheit jetzt mit Feingefühl behandeln, oder ganz nach seinem eigenen Ermessen. „Ist etwas nicht in Ordnung, Liebling?" fragte er sie schelmisch und setzte sich hinter das Steuer.

„Was fällt Ihnen ein zu scherzen!" Zornig sah Gabriella ihn an. „Wie können Sie es wagen!"

Reeve nahm ihre Hand und hielt sie fest, obgleich Gabriella sie mit einem schnellen Ruck fortziehen wollte. „Gabriella, manche Dinge nimmt man besser nicht so schwer."

„Diese Farce. Dieser Betrug!" Ein französischer Wortschwall brach plötzlich aus ihr hervor, den er nur zum Teil verstand, dessen protestierender, wütender Unterton jedoch nicht zu überhören war.

„Erst muss ich mich mit Ihnen als Leibwächter abfinden", fuhr sie fort und wechselte übergangslos wieder ins Englische. „Wohin ich auch immer meinen Fuß setzen will, Sie sind da und schleichen um mich herum. Und jetzt dieser Vorwand, dass wir heiraten werden. Wozu das alles? Nur damit es nicht bekannt wird, dass mein Vater einen Leibwächter eingestellt hat, der weder aus Cordina noch aus Frankreich kommt. Nur damit ich ständig in Begleitung eines Mannes gesehen werden kann, ohne damit meinem Ruf zu schaden. Ha!" Mit einer schlecht gelaunten, aber dennoch beherrscht wirkenden Handbewegung unterstrich sie ihre Worte. „Es ist mein Ruf, mein Ruf!"

„Es geht ebenso um den meinen", versetzte Reeve kühl.

Bei diesen Worten drehte Gabriella sich zu ihm hin und musterte ihn hochmütig von oben bis unten. „Ich glaube, ich irre nicht in der Annahme, dass Sie schon einen Ruf haben. Und mit dem habe ich absolut nichts zu schaffen", setzte sie schnell hinzu, bevor Reeve etwas entgegnen konnte.

„Als meine Verlobte betrifft mein Ruf Sie sehr

wohl." Reeve startete den Wagen und fuhr gemächlich den Berg hinunter.

„Es ist eine lächerliche Komödie."

„Zugegeben."

Diese Bestätigung brachte sie zum Schweigen. Die Tatsache, dass er mit ihr einer Meinung war, nahm ihr förmlich den Wind aus den Segeln.

„Sie finden es lächerlich, mit mir verlobt zu sein?" fragte sie nach, um sicher zu gehen.

„Absolut." Die Antwort war knapp und eindeutig.

Gabriella entdeckte einen neuen Charakterzug an sich. Sie hatte eine beachtliche Portion Eitelkeit. „Und warum?"

„Normalerweise verlobe ich mich nicht mit Frauen, die ich kaum kenne. Außerdem würde ich es mir gründlichst überlegen, mich an jemanden zu binden, der eingebildet, launisch und selbstsüchtig ist."

Gabriella saß kerzengerade. Aus ihrer Handtasche holte sie eine Sonnenbrille hervor und setzte sie auf. „Dann müssen Sie doch recht zufrieden sein, dass es sich hier nur um eine Verlobung pro forma handelt, nicht wahr?"

„Ja."

Sie ließ ihre Handtasche zuschnappen. „Und auch noch von sehr kurzer Dauer."

Reeve war nicht zum Lachen zu Mute. Ein Mann

geht nur ein bestimmtes Maß an Risiken pro Tag ein. „Je kürzer, desto besser."

„Ich werde mir alle Mühe geben, Ihnen das Leben nicht schwerer als nötig zu machen!"

Den Rest der Fahrt über hüllte Brie sich in unheilvolles Schweigen.

Die Zentrale der GHBK, der Gesellschaft zur Hilfe für behinderte Kinder, befand sich in einem alten, imposanten Gebäude. Einst war es der Palast von Bries Urgroßmutter gewesen, wie die tüchtige Janet Smithers ihr gesagt hatte.

Brie stieg aus dem Wagen und rekapitulierte in Gedanken die Anlage des Gebäudes, während sie darauf zuging. Sie verspürte ein unangenehmes Kribbeln im Magen und war dankbar, dass Reeve sie an der Hand hielt, obwohl sie sicher nicht selbst nach seiner gegriffen hatte.

Sie betraten die kühle, weiße Halle. Sofort erhob sich eine Frau, die neben dem Eingang an einem Tisch gesessen hatte, und verbeugte sich vor ihr: „Eure Hoheit, ich bin froh und erleichtert, Sie wieder zu sehen."

„Vielen Dank, Claudia." Gabriella zögerte nur kurz vor dem Namen, dass es auch Reeve kaum auffiel.

„Wir haben Sie nicht erwartet, Eure Hoheit. Nach

der ... nach dem was geschehen ist." Claudias Stimme schwankte.

Gabriella war ehrlich bewegt. Es war ihr jetzt wichtiger als Politik oder Vorsicht. Sie reichte Claudia beide Hände: „Es geht mir gut Claudia. Ich sehne mich nach Arbeit." Von dieser Frau ging eine Sympathie aus, die sie bei ihrer Sekretärin vermisst hatte. Doch ehe sie nicht die Motive dafür wusste, konnte und durfte sie dieser Freundlichkeit nicht nachgeben.

„Darf ich Ihnen Mr. MacGee vorstellen. Er ... wohnt bei uns. Claudia ist seit beinahe zehn Jahren bei der GHBK, Reeve." Gabriella gab ihm genau die Information, die sie noch am selben Morgen von ihm bekommen hatte.

„Ich glaube, sie könnte die Gesellschaft ganz allein leiten. Sagen Sie, Claudia, ist überhaupt noch irgendetwas für mich zu tun übrig?"

„Der Ball steht bevor, Eure Hoheit. Und wie immer, gibt es auch jetzt Schwierigkeiten."

Der jährliche Wohltätigkeitsball, erinnerte sich Gabriella ihrer Lektion. Dieses Fest war in Cordina eine Tradition und für die GHBK die beste Gelegenheit, Mäzene zu finden. Sie als Präsidentin übernahm die Organisation, und als Prinzessin war sie auch stets Gastgeberin. In jedem Frühjahr versammelte der Ball reiche, berühmte und wichtige Persönlichkeiten in

Cordina. „Was wäre der Ball ohne Komplikationen. Ich mache mich gleich an die Arbeit. Kommen Sie, Reeve, wir wollen sehen, wie nützlich Sie sein können."

Sie hatte die erste Hürde genommen! Beide gingen die Treppe hinauf, schritten ein Stück den langen Korridor entlang und betraten das zweite Zimmer der rechten Seite.

„Gut gemacht", lobte Reeve, nachdem sie die Tür hinter sich geschlossen hatten.

Der Raum war nicht so elegant eingerichtet wie ihr privates Büro. Gabriella fragte sich, womit sie anfangen sollte. Voller Energie setzte sie sich dann an den Schreibtisch und befasste sich mit ihrer Aufgabe. Es machte ihr Spaß, und es war aufregend festzustellen, dass sie dafür sogar eine Begabung hatte.

Innerhalb von zwei Stunden war es ihr gelungen, sich mit der Situation vertraut zu machen, und dann begann sie langsam und sehr systematisch, sich mit Einzelheiten, Problemen und Entscheidungen auseinander zu setzen. Die Arbeit ging ihr ganz selbstverständlich von der Hand und am Ende dieser zwei Stunden war ihr Selbstvertrauen gestärkt und ihre Stimmung glänzend.

Als sie schließlich das Büro verließ, lagen immer noch Stöße von Akten und Dokumenten auf dem

Schreibtisch herum, aber es war ihre Unordnung, und Gabriella wusste, wo sie etwas zu suchen hatte.

„Das hat Spaß gemacht", sagte Gabriella zu Reeve, als sie wieder im Wagen saßen.

„Sehr viel sogar. Jetzt halten Sie mich vielleicht für etwas merkwürdig, oder nicht?"

„Nicht im Geringsten." Sie wartete, dass er den Wagen startete, doch er machte keine Anstalten. „Sie haben enorm viel in diesen paar Stunden geleistet, Brie. Aus meinem eigenen Beruf weiß ich, wie langweilig Schreibtischarbeit sein kann."

„Aber wenn man damit etwas erreichen kann, ist sie doch alle Mühe wert, finden Sie nicht? Die GHBK ist eine wichtige Organisation, die nicht nur schöne Worte macht, sondern wirklich hilft. Denken Sie doch an die Einrichtungen im neuen Flügel für die Hüftgeschädigten, die Rollstühle, Gehhilfen. All das kostet viel Geld, und wir können es beschaffen." Ihr Blick fiel auf den Diamantring an ihrem Finger. „Ich habe jetzt aber kein schlechtes Gewissen mehr."

Gabriella schwieg einen Moment, und Reeve startete endlich den Wagen. Dann sagte sie leise: „Reeve, ich möchte jetzt noch nicht in den Palast zurück. Können wir noch woanders hinfahren? Ich möchte gerne an die frische Luft."

„Aber natürlich!" Er verstand ihren Wunsch nur zu

gut. Ohne sich dessen recht bewusst zu sein, nahm er die Straße zum Meer.

Außerhalb der Stadt gab es Stellen, wo sich die Straße an der Befestigungsmauer entlangschlängelte. Abseits von Lebarre, dem Hafen Cordinas, war das Land noch frei, wild und ursprünglich. Reeve hielt neben einer Gruppe verwitterter Felsen an, bei der ein paar windschiefe Bäume standen.

Gabriella stieg aus und genoss die herrliche, weite Sicht. Irgendwie erinnerte sie sich an den Geruch und den Geschmack des Meeres. Sie war sich nicht sicher, jemals vorher an dieser Stelle gewesen zu sein. Wie gut tat es, auf das Wasser zu schauen. Sie verdrängte den Wunsch, Erinnerungen heraufzuholen und ging in Richtung der alten, trutzigen Befestigungsmauer.

Winzige Purpurblumen erkämpften sich ihren Weg durch die Steine zur Sonne. Verträumt strich Gabriella über eine Blüte. Dann kletterte sie auf die Mauer, ohne auf ihr Kostüm zu achten und blickte hinunter.

Vor ihr lag das tiefblaue Meer. Wäre die Mauer nicht gebaut worden, so hätten die Wellen mehr und mehr vom Land weggerissen. Weiter draußen sah man große Frachter, die in Richtung Hafen fuhren und außerdem eine Unzahl kleiner hübscher Segelboote.

„An einigen Orten fühlt man sich von Anfang an

wohl. Sie sind einem vertraut. Hier geht es mir ganz stark so", erklärte sie träumerisch.

„Sie hätten nicht am Meer aufwachsen können, ohne dass Ihnen ein Platz wie dieser entgangen wäre", gab Reeve zurück.

Der Wind zerzauste ihr Haar und blies es ihr aus dem Gesicht. Es wirkte im Sonnenlicht wie kleine, züngelnde Goldflammen. Reeve setzte sich in einiger Entfernung neben sie.

„Ich glaube, ich bin früher an einer solchen Stelle gewesen, nur um frische Luft zu haben, wenn ich dem Protokoll entgehen wollte." Sie seufzte leicht auf, dann schloss sie die Augen und hielt das Gesicht in den Wind. „Ich frage mich, ob ich immer so empfunden habe."

„Fragen Sie Ihren Vater."

Gabriella senkte den Kopf. Als ihre Blicke sich trafen, sah Reeve die Erschöpfung in ihren Augen, obwohl Brie sie so sorgfältig zu verbergen versucht hatte. Sie ist noch nicht wieder voll bei Kräften, sagte er sich. Und Verletzbarkeit gegenüber war er machtlos.

„Das ist schwierig." Zorn und Verärgerung, Spannungen und Erschöpfung waren vergessen, und sie fühlte sich wieder zu ihm hingezogen. Sie konnte mit ihm reden und ihm uneingeschränkt alles sagen, was ihr durch den Kopf ging.

„Ich möchte meinem Vater nicht wehtun. Von ihm geht eine so große Liebe und eine so starke Sorge um mich aus, dass ich unsicher bin. Ich weiß, er wartet darauf, dass ich mich an alles erinnere."

„Warten sie nicht selbst auch darauf?"

Gabriella sah schweigend auf die See hinaus.

„Brie, wollen Sie sich nicht erinnern?"

Sie sah Reeve nicht an, sondern hielt ihren Blick weiter auf das Wasser gerichtet. „Ein Teil von mir bemüht sich ganz verzweifelt darum. Aber ein anderer verdrängt jeden Ansatz, als wäre mir das alles hier zu viel. Wenn ich mich an das Gute erinnere, werde ich mich dann nicht auch an die schlechten Dinge erinnern?"

„Sie sind doch kein Feigling", wandte er ein.

„Das frage ich mich, Reeve. Ich erinnere mich daran, dass ich gerannt bin, ich erinnere mich an den Regen und den Sturm. Ich weiß, dass ich gelaufen bin, bis ich dachte, ich würde vor Erschöpfung sterben. Am stärksten erinnere ich mich an die Furcht, die so gewaltig war, dass ich lieber gestorben wäre, als angehalten hätte. Ich bin nicht sicher, ob dieser furchtsame Teil meines Ichs es mir ermöglichen wird, die Erinnerung zurückzugewinnen und mich damit allem auszusetzen."

Reeve begriff sehr gut wovon sie sprach.

„In einem Augenblick wie diesem hier wäre es so

leicht, nur zu entspannen und alles hinter sich zu lassen, den Dingen einfach ihren Lauf zu geben. Wenn ich nicht die wäre, die ich bin, könnte ich das ohne weiteres tun, und niemand würde sich darum kümmern." Gabriella strich ihr Haar zurück und genoss die Brise, die ihr Gesicht umwehte.

„Aber Sie sind, was Sie sind, eine Prinzessin."

„Ja. Ich bin jedoch davon überzeugt, dass ich fünfzig Wochen voll Verpflichtungen und Repräsentation leichter ertragen könnte, wenn ich nur zwei Wochen hätte, um auf einem Felsen zu sitzen und dem Wind zuzuhören. Mir wurde übrigens berichtet, Sie hätten selbst Grundbesitz, eine Farm, aber keine Frau. Warum?"

„Das ist allerdings eine komische Frage von der eigenen Verlobten!"

„Sie sagen das nur, um mich zu ärgern und meiner Frage auszuweichen."

„Sie haben hellseherische Fähigkeiten, Brie." Reeve sprang von der Mauer und hielt ihr die Hand hin. „Wir sollten zurückfahren."

„Ich fände es nur gerecht, wenn ich mehr über Ihr Leben wüsste, nachdem Sie so viel über meines wissen." Trotzdem reichte sie ihm die Hand. „Haben Sie je eine Frau geliebt?"

„Nein."

„Manchmal frage ich mich, ob es bei mir schon einmal so war." Gabriellas Stimme klang gedankenverloren, und sie sah noch einmal auf das Meer zurück. Das ist der Grund, weshalb ich Sie gestern Abend dazu brachte, mich zu küssen. Ich dachte, vielleicht könnte ich mich auf diese Weise erinnern."

Reeve fiel der amüsierte Unterton ihrer Bemerkung auf, aber er war selbst gar nicht amüsiert. „Und, hat es Sie erinnert?"

„Nein. Nicht, dass man mich nicht früher schon geküsst hätte, aber mir kam kein Mann im Besonderen in den Sinn."

Flirtet Sie jetzt in voller Absicht mit mir, oder ist sie nur einfach naiv? überlegte Reeve und nahm sie fester bei der Hand. „Niemand?"

Gabriella fiel der Wechsel von Reeves Ton auf, diese gefährlich ruhige Stimme. Für eine Frau war es ratsam, vor diesem Ton auf der Hut zu sein. „Niemand. Ich glaube fast, dass für mich früher noch kein Mann von großer Bedeutung gewesen ist."

„Sie sind aber auf den Kuss eingegangen wie eine Frau, der die eigenen Wünsche ganz und gar nicht fremd sind."

Gabriella zog sich nicht zurück, obwohl er jetzt näher bei ihr war. „Vielleicht bin ich eine erfahrene Frau, wer weiß. Jedenfalls bin ich kein Kind mehr."

„Nein. Keiner von uns beiden ist es mehr", sagte Reeve und kam noch näher zu ihr hin. Sie standen sich direkt gegenüber.

Ihr Mund war weich und einladend. Sie küsste ihn wie am Abend zuvor. Nein, das Leben ist nie ganz leicht, dachte er, und zog sie fest zu sich heran. Aber es kann herrlich sein.

Gabriella gab sich ihm ganz hin. Sie waren jetzt allein, und es erschien ihr ganz natürlich, dass sie zusammen waren, Mund auf Mund, Körper an Körper. Reeve umfasste zärtlich ihren Nacken. Sie ließ ihren Kopf zurücksinken, und er spielte mit ihrem Haar. Reeves Herz schlug ebenso heftig wie ihres. Sie bemerkte seinen Puls.

So standen sie im hellen Sonnenlicht, das sie blendete. Gabriella schloss die Augen, und alles um sie herum versank. Sie streichelte seinen Rücken, spürte die festen Muskeln. Dieser Mann war Schutz und Gefahr zugleich. Sie wollte beides, jetzt, in diesem Augenblick, wo sie sich nur noch als Frau, nicht als Person von Stand fühlte.

Reeves Küsse wurden drängender. Er war sich jedoch nicht ganz sicher, ob sie wusste, was sie tat. Gabriella hatte die Augen einer Zauberin mit dem Gesicht eines Engels. Welcher Mann konnte diesem Blick und diesen zarten Zügen widerstehen? Einer Frau wie ihr konnte sich kein Mann entziehen, sie war die Versuchung in Person.

Und doch musste er vernünftig bleiben. Langsam, widerstrebend zwar, aber dennoch mit Nachdruck, schob er Gabriella von sich, wie er es auch schon am vergangenen Abend getan hatte. Sie behielt ihre Augen noch einen Moment lang geschlossen, als wollte sie diese Umarmung bis zum Letzten auskosten. Dann öffnete sie sie und sah ihn geradeheraus an. Vielleicht war ihnen beiden bewusst geworden, dass sie die Grenze noch nicht überschreiten konnten.

„Ihre Familie wird sich fragen, wo Sie sind", flüsterte er.

Gabriella nickte und kam zurück in die Wirklichkeit. „Ja, zuerst die Pflicht, nicht wahr?"

Reeve gab ihr keine Antwort, und zusammen gingen sie zum Wagen zurück. Keiner von beiden sprach ein Wort.


*6. Kapitel*


„Brie! Brie, warte einen Augenblick." Gabriella drehte sich um. Bennett kam in den Garten. An seiner Seite hatte er zwei herrlich gewachsene Barsois. Er sah wie ein Stallbursche aus, die verwaschenen Jeans waren achtlos in seine Stiefel gestopft, und das Hemd war auch nicht ganz sauber. Er wirkte wie ein fröhlicher, robuster junger Mann, der Mühe hatte, seine Energie im Zaum zu halten.

„Du bist allein? Ruhe, Boris", befahl er und hielt den Hund davon ab, Bries Schuhe zu beschnuppern.

Boris und ... Natascha, dachte Gabriella. Ihr fielen Reeves Instruktionen noch rechtzeitig ein. Selbst Hunde konnte man nicht außer Acht lassen, nicht, wenn sie ein Geschenk des russischen Botschafters waren.

Bennett hatte Mühe, die Unruhe der Tiere zu zügeln. „Ich sehe dich heute Morgen das erste Mal hier draußen."

„Heute ist auch der erste Vormittag in dieser Woche, an dem ich keine Termine habe." Gabriella lächelte ein wenig unsicher darüber, ob sie sich schuldig oder erfreut fühlen sollte. Verlegen standen Bruder und Schwester einen Moment voreinander und suchten nach den richtigen Worten.

„Du hast ja deinen amerikanischen Schatten gar nicht bei dir", prustete Bennett plötzlich los und grinste Gabriella an. Sie runzelte die Stirn. „Das ist Alex' Spitzname für Reeve", fuhr er jetzt sicherer fort. „Eigentlich mag ich ihn. Ich glaube, auch Alexander schätzt ihn, sonst würde er bestimmt viel förmlicher und unterkühlter reagieren. Ihm fällt es halt nur schwer, gerade zum jetzigen Zeitpunkt einen Fremden hier zu akzeptieren."

„Man hat keinen von uns vorher gefragt, oder?"

„Nun, ich habe nichts gegen ihn. Stört es dich nicht wenn er dauernd um dich herum ist?"

Gabriella war inzwischen seit einer Woche wieder im Palast, aber Reeve war ihr noch ebenso fremd wie ihre eigene Familie. „Nein, allerdings manchmal ..." Sie warf einen Blick auf die prachtvollen Rabatten im Garten. „Bennett, sag mir, habe ich schon immer so stark den Wunsch gehabt, von hier fort zu sein? Jeder ist so aufmerksam, so nett zu mir, aber ich werde das Gefühl nicht los, dass ich irgendwohin müsste, wo ich Luft habe, wo ich allein bin, wo ich im Gras liegen und alles um mich herum vergessen kann."

„Deshalb hast du doch diesen kleinen Bauernhof gekauft."

Hastig machte sie einen Schritt auf ihn zu. „Bauernhof?"

„Ach, wir nennen ihn so, obwohl es eigentlich nur ein Stück unbebauten Landes ist. Manchmal drohst du uns damit, einmal dort ein Haus bauen zu lassen."

Ein Bauernhaus, sann sie nach, ganz wie Reeve. „Bin ich damals auf dem Weg dorthin ..."

„Ja." Die Hunde wurden unruhig, und Bennett ließ ihnen freien Lauf. „Ich war nicht hier, sondern in der

Schule. Und wenn Vater seinen Willen bekommt, bin ich leider nächste Woche schon wieder in Oxford."

Plötzlich fühlte Gabriella sich zu diesem Jungen, der an der Schwelle zum Mann stand und dem Einfluss des Vaters entgehen wollte, hingezogen. Sie hakte ihn unter und sagte impulsiv: „Bennett, mögen wir uns?"

„Welch alberne ... wir mögen uns, wir sind sogar sehr gute Freunde. Du warst stets mein Fürsprecher bei Vater."

„So? In welcher Hinsicht?"

„Nun, immer wenn ich in Schwierigkeiten war ..."

„Was bei dir die Regel zu sein scheint?"

„Ja, allerdings", bestätigte Bennett, machte aber keinen unzufriedenen Eindruck bei seinen Worten.

„Und ich?" fragte Gabriella.

„Oh, du bist viel diskreter. Vater sagt immer, du seist das einzige seiner Kinder, das mit Vernunft gesegnet ist."

„Du meine Güte!" Gabriella krauste die Nase. „Und du kannst mich noch immer leiden?"

Mit einer brüderlichen Geste, die so natürlich, so herzlich war, dass ihr die Tränen in die Augen schossen, zerzauste Bennett ihr das Haar. „Mir ist es viel lieber, dass du vernünftig bist. Mir wäre Vernunft bei mir nur im Wege!"

„Und Alexander? Wie komme ich mit ihm zurecht?"

„Oh, gut." Er antwortete mit der Toleranz des jüngeren für seinen Bruder. „Er hat es von uns allen am schwersten. Er kann keinen zweiten Blick auf eine Frau werfen, ohne dass die Presse es gleich aufbläht. Alex hat Diskretion zu einer Kunst entwickelt. Man erwartet von ihm einfach, dass er alles noch besser macht als andere. Und er muss sein ständig aufbrausendes Temperament zügeln. Vom Thronerben erwartet man, dass er keine Skandale oder Szenen – weder in der Öffentlichkeit noch im Privatleben – hat."

Bennett lächelte ihr zu, und mit einer raschen Geste zog er sie an sich und drückte ihr einen Kuss auf die Wange. „Ich vermisse dich, Brie. Hoffentlich erinnerst du dich bald."

„Ich werde mich bemühen."

Mehr als jeder andere verstand Bennett offensichtlich, dass man Liebe nicht erzwingen konnte. Als er sie losließ, klang seine Stimme wieder locker und unbesorgt. „Ich muss jetzt die Hunde wegbringen, ehe sie den ganzen Garten umgewühlt haben. Soll ich dich zurückbegleiten?"

„Nein, danke, ich bleibe noch einen Augenblick. Heute Nachmittag habe ich eine Anprobe für mein Kleid für den GHBK-Ball. Die wird mir nicht viel Spaß machen."

„Du hasst solche Sachen", sagte Bennett fröhlich.

„Ich werde rechtzeitig aus Oxford für den Ball zurückkommen. Dann werde ich dir beim Tanz über die Schulter sehen und nach einem attraktiven Mädchen Ausschau halten, um es zu verführen."

„Du hast das Zeug zu einem Casanova." Gabriella lachte.

„Oh, ich tue, was ich kann. Boris, Natascha, hierher!" Bennett rief die Hunde und verließ mit ihnen den Garten.

Gabriella mochte ihn. Sie erinnerte sich zwar nicht an die gemeinsam als Bruder und Schwester verlebten zwanzig Jahre, aber sie mochte den jungen Mann, der er heute war. Langsam setzte sie ihren Spaziergang fort und betrachtete die Farbenpracht des Gartens.

In einer Mauernische, die ganz von wildem Efeu überwachsen war, stand ein Tischchen mit Stühlen, und in einem kleinen Brunnen sprang eine Fontäne himmelwärts. Dieser Platz erinnerte sie an die Stelle an der Befestigungsmauer, und sie fühlte sich wohl und geborgen.

Sobald sie allein war, gestand sie sich ein, wie schnell sie noch ermüdete. Sie setzte sich auf einen der Stühle, streckte die Beine aus und entspannte. Sie schloss die Augen und ließ ihren Gedanken freien Lauf. Um sie herum summten die Bienen, und der starke Duft der Blumen schläferte sie ein.

Gabriella fühlte sich schläfrig und benommen. Das war nicht das entspannte und beruhigende Gefühl, weshalb sie hier aufs Land gekommen war. Immer wenn sie hier auf das kleine Stück Land hinausfuhr, dann, um der Prinzessin Gabriella ein bisschen Zeit für Brie Bisset zu stehlen.

Gabriella nahm einen weiteren Schluck Kaffee aus ihrer Thermosflasche. Er war sehr stark, wie sie ihn gern trank. Die Sonne war warm, in ihrem Licht schwirrten und tummelten sich Bienen und Insekten. Doch sie hatte nicht die Energie, so spazieren zu gehen, wie sie es wollte. Nur ein wenig die Augen schließen ... Die Tasse zitterte in ihrer Hand ... Sich jetzt an den Felsen lehnen können ... die Augen schließen ...

Und dann war es plötzlich nicht mehr länger warm und angenehm in der Sonne. Sie fröstelte, als hätten Wolken den Himmel überzogen und Regen stünde bevor. Nichts roch mehr nach frischem Gras und sommerlichen Blüten, sondern alles war feucht und stank nach Most. Ihr ganzer Körper tat ihr weh. Irgendjemand sprach, ohne dass sie es so recht wahrnahm. Gemurmel, Summen, aber nicht von Bienen. Männerstimmen.

„Sie werden die Prinzessin austauschen. Sie haben keine andere Wahl." Gewisper, Flüstern.

„Alle Spuren sind verwischt. Sie wird bis zum Morgen schlafen. Dann kümmern wir uns wieder um sie."

Und Gabriella war voller Furcht, von Panik und Ängsten ergriffen. Sie musste aufwachen. Sie musste einfach aufwachen und ...

„Brie."

Mit einem erstickten Schrei fuhr sie aus dem Stuhl hoch. „Nein! Nicht! Rührt mich nicht an!"

„Ganz ruhig." Reeve hielt sie fest und ließ sie langsam auf den Stuhl zurücksinken. Ihre Hand fühlte sich kalt an, ihr Blick war verwirrt. Wenn sie sich nicht sofort beruhigen würde, dachte er, dann müsste er sie umgehend in den Palast zurück zu Dr. Franco bringen. „Ruhig, ganz ruhig."

„Ich dachte ..." Gabriella sah sich hastig um. Doch da war nur der sonnendurchflutete Garten, der Brunnen, die Bienen. Das Herz schlug ihr bis zum Hals. Sie lehnte sich zurück und atmete tief durch. „Ich muss geträumt haben."

Reeve beobachtete sie und suchte nach Anzeichen eines Schocks. Offenbar hatte sie sich jedoch unter Kontrolle. „Ich hätte Sie nicht geweckt, aber Sie machten den Eindruck, einen Alptraum zu haben."

Er setzte sich neben sie auf einen Stuhl. Er hatte sie bestimmt schon zehn Minuten lang beobachtet. Er konnte nicht leugnen, dass es ihm Vergnügen bereitet hatte, sie da sitzen zu sehen. Er erinnerte sich des frischen, jungen Mädchens, das vor Jahren so vertrauensvoll, mit sich zufrieden und auf unschuldige Weise erregend gewesen war, und das jetzt als Frau hingebungsvoll, aufreizend und fordernd in seinen Armen gelegen hatte. Als er sie so betrachtete, wusste er, dass er diesen Moment wiederholen wollte, und dass ihm nach mehr verlangte.

Reeve lehnte sich zurück und wartete, bis Gabriella wieder regelmäßig atmete. „Erzählen Sie es mir", forderte er sie ruhig auf.

„Es gibt nicht viel zu erzählen. Es war alles zu verwirrend."

Er nahm eine Zigarette aus der Packung. „Erzählen Sie es mir trotzdem."

Gabriella sah ihn halb widerwillig, halb erschöpft an. „Ich dachte, Sie sind hier als Leibwächter, nicht als Psychiater."

„Ich bin flexibel." Er zündete sich die Zigarette an und sah sie über die Flamme hinweg an. „Und Sie?"

„Nicht sehr, fürchte ich." Gabriella stand auf. Er hatte schon bemerkt, dies war eine ihrer Angewohnheiten, wenn sie nervös wurde. „Ich war nicht hier, sondern an irgendeinem ruhigen Ort. Dort gab es viel Gras, ich konnte es riechen, sehr stark und duftend. Ich war offenbar ganz gegen meinen Willen sehr schläfrig. Das ärgerte mich, da ich dort allein war und die Einsamkeit auskosten wollte. Also trank ich Kaffee, um munter zu bleiben."

Reeve sah sie schärfer an, ohne dass es Gabriella auffiel. „Woher hatten Sie den Kaffee?"

„Woher?" Sie runzelte die Stirn, ihr kam die Frage albern vor, da sie doch über einen Traum sprach. „Ich hatte eine Thermosflasche. Eine große rote Flasche, an der der Griff fehlte. Der Kaffee half mir nicht sehr, und ich schlief ein. Ich erinnere mich an den warmen Sonnenschein, und ich konnte – wie jetzt auch – das Summen der Bienen hören. Und dann ..." Reeve fiel auf, dass sie die Finger verkrampfte. „... dann befand ich mich nicht mehr länger dort. Es war dunkel und ein bisschen feucht. Alles roch nach Wein. Ich hörte Stimmen."

Reeves Spannung wuchs, aber er fragte mit ruhiger Stimme: „Wessen Stimme?"

„Ich weiß es nicht. Ich habe sie nicht deutlich gehört, mehr geahnt. Ich fürchtete mich so. Die Angst beherrschte mich völlig, aber ich konnte auch nicht aufwachen und den Traum verscheuchen." Sie wandte sich von Reeve ab und schlang beide Arme um ihren Körper.

„Traum oder Erinnerung?" murmelte Reeve.

Gabriella fuhr herum. Ihre Augen blitzten, und sie ballte ihre Hände zu Fäusten. „Ich weiß es nicht. Woher denn auch? Glauben Sie ernstlich, ich könnte mit dem Finger schnippen, und alle Erinnerungen wären plötzlich wieder da?" Zornig stieß sie mit dem Fuß ein paar Steinchen davon.

„Wer sagt, dass Sie mit dem Finger schnippen sollen. Brie? Niemand drängt Sie, außer Sie sich selbst."

„Ich fühle mich durch all die Freundlichkeit um mich herum gedrängt."

„Keine Sorge", meinte Reeve mit einem Schulterzucken. „Ich werde schon nicht freundlich zu Ihnen sein."

Gabriella war selbst überrascht, wie schnell der Ärger in ihr hochkam. „Sie vergreifen sich im Ton und beleidigen mich. Was fällt Ihnen ein?"

Sie war unwiderstehlich, wenn sie sich so überheblich, kalt und zornig gab. Reeve stand auf und nahm ihr Gesicht zwischen seine Hände. Vor Überraschung hielt Gabriella ganz still. „Ich kümmere mich einen Deut darum, was Sie von mir denken, sofern Sie überhaupt an mich denken, Gabriella."

„Dann ist Ihr Wunsch erfüllt", versetzte sie hart. „Ich denke an Sie, aber bestimmt nicht im besten Sinne."

Langsam glitt ein Lächeln über sein Gesicht. Gabriella fühlte, wie ihre Haut prickelte und ihr Hals trocken wurde. „Sie brauchen nur an mich zu denken", wiederholte Reeve. „Ich werde bestimmt keine Rosen streuen, wenn wir ins Bett gehen. Es wird keine Geigen geben, die Ihnen aufspielen, und auch keine seidenen Laken. Es wird nur dich und mich geben."

Gabriella rührte sich nicht. Ob aus Schock oder Erregung, konnte sie sich selbst nicht erklären. Vielleicht aus Stolz, jedenfalls hoffte sie das. „Mir scheint, Sie haben jetzt einen Psychiater nötig. Es mag sein, dass ich mich nicht erinnern kann, Reeve, aber ich bin sicher, dass ich mir meine Liebhaber bisher immer noch selbst ausgesucht habe!"

„Genau wie ich."

„Nehmen Sie Ihre Hand weg", sagte sie ruhig, mit einem arroganten Unterton, der ihre Angst überspielen sollte.

Doch Reeve zog sie noch enger an sich. „Ist das ein königlicher Befehl?"

„Halten Sie es, wie Sie wollen. Sie brauchen meine Erlaubnis, Reeve, um mich anzufassen."

Seine Lippen waren dicht an den ihren, ohne sie jedoch zu berühren. „Wenn ich dich berühren will, dann tue ich es. Ich will dich, und ich werde dich besitzen – wenn wir beide dazu bereit sein werden." Bei diesen Worten wurde sein Griff fester.

Ihre Knie begannen zu zittern, und alles schien vor ihren Augen zu verschwimmen. Wieder war es dunkel um sie herum, und das Gesicht vor ihr war ohne Konturen. Wieder roch sie den starken, schalen Weingestank. Panische Angst stieg in ihr auf. Abrupt schlug sie zu, schwankend und unsicher. „Rühr mich nicht an! Nein! Relâchez-moi, salaud ...“

Ihre Stimme klang so verzweifelt und dabei gar nicht ärgerlich, dass Reeve sie augenblicklich freigab. Sofort griff er jedoch wieder nach ihr, da Gabriella zu fallen schien. „Brie!“ Schnell half er ihr, sich wieder auf den Stuhl zurückzusetzen. Er beugte ihr den Kopf zwischen die Knie, noch ehe sie sich dessen bewusst werden konnte. Obwohl er sich im Stillen verwünschte, klang seine Stimme dennoch sicher und beruhigend. „Atmen Sie tief durch, und entspannen Sie sich. Es tut mir so Leid. Ich habe nicht vor, mehr von Ihnen zu verlangen, als Sie zu geben bereit sind.“

Nein, das würde er wirklich nicht von ihr verlangen. Noch immer hielt Gabriella die Augen geschlossen und bemühte sich, sich aus der Benommenheit zu lösen.

„Nein.“ Sie versuchte, ihre Hand freizubekommen, und Reeve ließ sie los. Noch immer hatte sie ein bleiches Gesicht. Als sie zu ihm aufsah, waren ihre Augen dunkel vor Angst. „Es war nicht Ihre Schuld“, brachte sie kaum hörbar hervor. „Es hatte nichts mit Ihnen zu tun. Ich erinnerte mich, glaube ich ...“

Sie seufzte verzweifelt und bemühte sich um Fassung. „Es lag an etwas anderem. Eine Minute lang war ich ganz woanders. Ein Mann hielt mich fest. Ich konnte ihn nicht erkennen. Entweder war es dunkel, oder meine Erinnerungen sind blockiert. Aber er hielt mich fest, und ich wusste, wusste mit Sicherheit, dass er mich vergewaltigen wollte, weil er so betrunken war."

Gabriella griff nach Reeves Hand und hielt sie fest. „Er stank nach Wein, und ich hatte das Gefühl, diesen Geruch jetzt wieder wahrzunehmen. Er hatte rohe Hände, war sehr kräftig und obendrein stark betrunken." Sie schluckte und ein Zittern ergriff ihren Körper.

Schließlich entzog sie Reeve ihre Hand und lehnte sich auf dem Stuhl zurück. „Ich hatte ein Messer, woher, weiß ich selbst nicht. Ich hielt dieses Messer fest. Ich glaube, ich habe ihn getötet."

Sie warf einen Blick auf ihre jetzt ruhige Hand. Dann drehte sie sie um und starrte auf ihre Handfläche. Sie war glatt und weiß. „Ich glaube ich habe ihn mit diesem Messer erstochen", sagte sie ruhig. „Ich hatte sein Blut an meinen Händen."

„Brie, erzählen Sie mir, an was Sie sich sonst noch erinnern."

Bleich und erschöpft sah Gabriella ihn an. Nichts. Ich erinnere mich nur an den üblen Geruch und den Kampf mit ihm. Ich bin nicht sicher, ob ich ihn wirklich umgebracht habe. Ich kann mich an nichts vor oder nach dem Kampf erinnern. Wenn der Mann mich tatsächlich vergewaltigt hat, so weiß ich auch das nicht mehr!"

„Sie wurden sexuell nicht missbraucht", erklärte Reeve knapp und sachlich. „Die Ärzte haben Sie untersucht."

Vor Erleichterung war Gabriella den Tränen nahe, aber sie konnte sie unterdrücken. „Die Ärzte können mir jedoch nicht sagen, ob ich den Mann erstochen habe oder nicht."

„Nein, das können nur Sie, wenn der Zeitpunkt gekommen ist."

Gabriella reichte Reeve die Hand, und so gingen sie beide zurück durch den Garten auf die weißen, gleißenden Mauern des Palastes zu.

„Ihr Blutdruck ist normal." Dr. Franco legte seine Instrumente wieder in die Tasche zurück. „Auch der Puls und Ihre Gesichtsfarbe. Körperlich gesehen gibt es keine Komplikationen. Ich finde nur, dass Sie noch etwas zu dünn sind. Fünf Pfund mehr würden Ihnen nicht schaden."

„Fünf Pfund mehr würden meine Schneiderin in Schreikrämpfe ausbrechen lassen", antwortete Gabriella mit belustigtem Lächeln. „Sie ist von meiner augenblicklichen Figur hell begeistert."

„Hm." Dr. Franco strich sich seinen gepflegten weißen Bart. „Sie will ja nur einen Kleiderständer, den sie mit Stoff drapieren kann. Sie müssen zunehmen, Gabriella. Nehmen Sie die von mir verschriebenen Vitamintabletten?"

„Jeden Morgen."

„Gut, sehr gut. Aber Ihr Vater hat mir berichtet, dass Sie Ihr Arbeitspensum nicht eingeschränkt haben."

Sofort regte sich ihr Widerspruchsgeist. „Ich arbeite gern."

„Auch das hat sich also nicht geändert. Ich wüsste allerdings gern, wie Sie sich innerlich fühlen. Niemand, ganz besonders nicht Ihre Ärzte, nehmen Ihren Gedächtnisverlust leicht oder können sich vorstellen, was das für Sie bedeutet. Aber für Ihre Umgebung ist es noch schwerer, Ihre Lage voll zu verstehen und hinzunehmen. Schon deshalb habe ich Ihnen diese Frage gestellt."

„Ich weiß nicht, was ich sagen soll, nicht einmal, was ich eigentlich sagen möchte."

„Gabriella, ich habe Sie zur Welt gebracht und alle Ihre Kinderkrankheiten kuriert. Ihr Körper ist mir ebenso vertraut wie die Art Ihres Denkens. Sie haben große Angst davor, den Menschen Ihrer Umgebung wehzutun."

„Ja. Ich denke ... Nein, ich fühle", korrigierte Gabriella sich selbst, „dass wir eine sehr eng verbundene Familie sind. Stimmt das?"

„Ja, das ist richtig. Zwei Wochen im Jahr sind ganz dem Familienleben gewidmet, wenn Sie in die Schweiz fahren. Sie haben mir einmal gesagt, dass Sie wegen dieser zwei Wochen die restlichen fünfzig ertragen können."

Gabriella nickte als Antwort und sagte dann plötzlich: „Erzählen Sie mir bitte, wie meine Mutter gestorben ist, Dr. Franco."

„Sie war sehr zart", antwortete der Arzt vorsichtig. „Sie hielt in Paris eine Rede für das Rote Kreuz und bekam eine Lungenentzündung mit Komplikationen, von der sie sich nicht mehr erholt hat."

Gabriella wartete darauf, eine Gefühlsregung in sich zu spüren, Schmerz und Trauer, aber sie fühlte nichts. Sie faltete die Hände und sah zu Boden. „Habe ich meine Mutter geliebt?"

„Sie war der Mittelpunkt Ihrer Familie, Halt und Herz zugleich. Sie haben sie sehr geliebt, Gabriella", antwortete er voller Mitgefühl.

Der Glaube daran, dass es einmal so war, hatte beinahe dieselbe Bedeutung für sie wie das eigentliche Empfinden selbst. Wie lange war sie krank?"

„Sechs Monate."

Gabriella war überzeugt, dass ihre Familie sich damals völlig zurückgezogen haben musste. Jeder hatte gewiss dem anderen zur Seite gestanden. „Wir nehmen Außenstehende nicht so leicht in unseren Kreis auf, nicht wahr?"

Dr. Franco lächelte sie an, „Nein, allerdings nicht."

„Sie kennen Reeve MacGee?"

„Den Amerikaner? Nur flüchtig, aber ihr Vater hält große Stücke auf ihn!"

„Sind Sie seiner Meinung?"

„Ich bin nicht so vermessen, mit dem Fürsten Armand einer Meinung oder nicht zu sein, außer natürlich in medizinischen Belangen. Aber Ihre Verlobung hat Ihren Bruder Alexander verärgert, der sich persönlich für Ihr Wohlbefinden verantwortlich fühlt."

„Und meine Gefühle? Werden die überhaupt berücksichtigt? Diese Heimlichtuerei, dass alles mit mir in Ordnung sei, diese Farce, ich hätte eine Blitzromanze mit dem Sohn eines Freundes meines Vaters, all das geht mir gegen den Strich. Erst gestern hat man meine Verlobung öffentlich bekannt gegeben, und schon heute ist jede Zeitung voll davon. Randvoll mit Spekulationen, Meinungen, Ansichten und Klatschgeschichten. Wohin ich auch komme, werde ich mit Fragen bestürmt und nicht mehr in Ruhe gelassen. Entnervende Fragen über mein Brautkleid, wo die Zeremonie stattfinden soll, wen ich einlade oder zu meiner Brautjungfer machen. Je mehr wir versuchen, den Mantel des Schweigens über das Geschehene zu breiten, desto absurder wird die ganze Geschichte."

„Ihr Vater ist nur um Ihr Wohlergehen besorgt, Gabriella, und um das seines Volkes."

„Sind das niemals zwei verschiedene Dinge?" Ihr Ton war scharf, doch kurz darauf beruhigte sie sich. „Es tut mir Leid, das war nicht richtig. Es ist halt schwierig, mit solchen Lügen zu leben. Außerdem habe ich den Eindruck, dass Täuschungen in meinem Leben zu viel Raum einnehmen. Und Reeve ..." Sie brach ab, weil es sie störte, sich selbst bei dem Gedanken an ihn ertappt zu haben.

„... ist sehr attraktiv", vollendete Dr. Franco den Satz für sie.

Gabriella schenkte Dr. Franco ein vorsichtiges Lächeln. „Sie sind ein ausgezeichneter Arzt."

Dr. Franco verbeugte sich knapp. „Ich kenne meine Patienten, Eure Hoheit."

„Attraktiv ist er, aber nicht in jeder Hinsicht angenehm. Mich stört seine beherrschende Stellung sehr, besonders in der Rolle meines Verlobten. Aber ich werde meinen Part spielen. Wenn all dies zu Ende ist, dann lebt jeder wieder in seiner eigenen Welt. Ich will mein Gedächtnis wiederhaben und zurück zur Normalität finden. Das ist es, Dr. Franco, was und wie ich mich fühle."

Dr. Franco erhob sich und ging zur Tür. „Ich werde Ihrem Vater Bericht erstatten, dass es Ihnen besser geht. Aber, Gabriella, wir alle müssen mit einem Vorwand leben."

„Das ist mir klar, Dr. Franco. Vielen Dank."

Gabriella wartete diskret, bis der Arzt die Tür hinter sich geschlossen hatte. Dann ließ sie ihrem Zorn freien Lauf. Vorwände, Lügen, Gabriella hasste sie, aber sie musste sich momentan damit abfinden.

Wütend riss sie die Zeitung aus dem Papierkorb hervor, die sie am selben Morgen dorthin befördert hatte.

*PRINZESSIN GABRIELLA HEIRATET*

Gabriella fluchte unbeherrscht. Auf der Titelseite prangten Bilder von ihr und Reeve. Ja, er sah sehr gut auf dem Foto aus. Aber die Presse äußerte sich über ihn mit gemischten Gefühlen. Man zeigte sich mit einem gewissen Besitzerstolz erfreut, dass eines der Kinder des Fürsten heiraten würde. Die freundschaftlichen Bande zwischen den Bissets und MacGees zählten zu Reeves Gunsten, ebenso der exzellente Ruf seines Vaters. Aber er war dennoch Amerikaner und in den Augen der Einwohner Cordinas nicht unbedingt die ideale Wahl. Die Bilder und Beschreibungen anderer heirats-fähiger Prinzen, Barone oder Ölmagnaten, die die Zei-tung abdruckte, sagten Gabriella gar nichts, obwohl sie sie offenbar alle gekannt haben musste. Bei Reeve wusste sie wenigstens, woran sie war. Nun, was ihn an-ging, so schien die Presse sich mit ihrem Urteil noch et-was zurückzuhalten und spekulierte stattdessen lieber über das Hochzeitsdatum.

Gabriella warf die Zeitung auf das Bett. Zumindest hatte ihr Vater sein Ziel erreicht. Die Aufmerksamkeit aller war auf die Verlobung und nicht mehr auf die Ent-führung gerichtet.

„Herein", rief sie, als es an der Tür klopfte, aber sie runzelte unwillig die Stirn über die Störung. Ihr Unwil-le verging auch nicht, als Reeve den Raum betrat.

„Kann ich nicht einmal in meinem eigenen Schlaf-zimmer in Ruhe gelassen werden?"

„Dr. Franco sagt, Sie erholen sich prächtig."

Absichtlich ließ Gabriella sich Zeit, umständlich auf dem Sofa am Fenster Platz zu nehmen, um sich so wie-der unter Kontrolle zu bekommen. „Erstattet der Arzt etwa auch Ihnen Bericht?"

„Ich war bei Ihrem Vater." Reeve sah die Zeitung mit den Fotos auf ihrem Bett liegen, aber er schwieg. Es wäre auch nicht gut, zuzugeben, dass er bei diesem Anblick am Morgen ebenfalls einen beträchtlichen Schreck bekommen hatte. Es war schon ein Unterschied, sich zu einer falschen Verlobung bereit zu erklären, als die Tatsachen gedruckt vor der Nase zu haben.

„Es geht Ihnen also besser?"

„Recht gut, danke."

Der eisig-formelle Ton der Antwort ließ ihn die Lippen aufeinander pressen. Gabriella gab offenbar keinen Zentimeter nach. Auch gut, dachte Reeve. „Wie sieht Ihr Tagesplan für morgen aus?" fragte er sie, obwohl er sich schon längst darüber informiert hatte.

„Bis zum Nachmittag habe ich keine Zeit. Dann bin ich frei bis zum Diner mit dem Herzog und der Herzogin von Marlborough sowie Monsieur Loubet und seiner Gattin."

Wenn Reeve ihren Ton richtig deutete, so hatte sie ebenso wenig Interesse an diesem Essen wie er selbst. Es war das erste, an dem sie als offiziell Verlobte aufzutreten hatten. „Vielleicht würden Sie gern am Nachmittag ein paar Stunden segeln gehen?"

„Segeln?" Ein kurzes Aufblitzen in ihren Augen, und schon senkte sie die Wimpern wieder und sagte kühl: „Ist das eine Einladung oder nur eine neue Art von Kontrolle?"

„Beides. Wenn Sie das Für und Wider abwägen, Brie, werden Sie feststellen, dass Sie so jeder Verantwortung hier im Palast für ein paar Stunden entgehen können."

„Mit Ihnen?"

„Von Verlobten erwartet man eigentlich, dass sie einen Teil ihrer Zeit auch gemeinsam verbringen", antwortete er leichthin und legte ihr, noch ehe sie aufspringen konnte, seine Hand auf den Arm. „Sie haben darin eingewilligt", fuhr er mit gefährlich ruhigem Ton fort. „Jetzt müssen Sie auch die Konsequenzen tragen."

„Nur in der Öffentlichkeit."

„Eine Frau in Ihrer Stellung hat wenig Privatleben. Und auch ich habe mit dieser Verlobung" sprach er weiter und sah sie eindringlich an, „mein Privatleben vor den Augen der Öffentlichkeit ausgebreitet." Mit diesen Worten nahm er ihre Hand.

„Wollen Sie etwa, dass ich dankbar bin? Das erscheint mir zur Zeit mehr als schwierig."

„Lassen Sie es sein." Verärgert wurde sein Griff um ihre Hand fester. „Zusammenarbeit ist völlig ausreichend."

Stolz hob sie den Kopf und sah ihn geradewegs an. „Ihre oder meine?"

Reeve neigte leicht den Kopf. „Unser beider, wie mir scheint. Wir sind ganz offiziell verlobt, ja verliebt", antwortete er und kostete jede Silbe aus.

Seine Worte machten sie unruhig. „Offiziell", gab sie zu. „Aber es ist nichts weiter als ein Vorwand."

„Oh, auch eine solche Charade hat ihre Vorteile. Und da wir gerade beim Thema sind ..." Reeve griff in seine Tasche und zog eine kleine Samtschachtel heraus. Er ließ den Deckel aufschnappen, und in den Strahlen der Sonne funkelte und blitzte ein weißer, viereckiger Diamant.

Gabriella fühlte, wie ihr das Herz bis zum Halse zu klopfen begann. „Nein."

„Ist das zu konventionell?" Reeve nahm den Ring von der Unterlage und drehte ihn im Sonnenlicht, in dem jetzt alle glühenden Farben des Steines aufglänzten. Er steht Ihnen. Klar, kalt, elegant. An der richtigen Hand erwacht er zum Leben."

Reeve sah dabei nicht mehr auf den Ring, sondern auf Gabriella. „Geben Sie mir Ihre Hand, Brie."

Sie rührte sich nicht. „Ich werde diesen Ring nicht tragen."

Reeve ergriff ihr linkes Handgelenk und spürte ihren Puls unter seinen Fingern. Durch das Fenster fielen die Sonnenstrahlen und brachten ihr Haar noch mehr zum Glänzen. Ihre Augen blitzten ihn voller Zorn an. Und voller Leidenschaft. Keine sehr romantische Situation, dachte Reeve, und steckte ihr den Ring an den

Finger. Aber Romantik war ja in dieser Situation auch nicht gefragt.

„Ja, Sie werden ihn tragen." Er umschloss ihre Hand und besiegelte so die Verlobung. Noch wollte er nicht darüber nachdenken, wie schwierig es sein würde, diese Verbindung wieder aufzulösen.

„Ich reiße ihn sofort wieder herunter", fauchte Gabriella ihn an.

„Das wäre sicher nicht klug", versetzte Reeve in einem Ton, der nichts Gutes verhieß.

„Immer noch der gehorsame Diener meines Vaters?" stieß Gabriella zwischen den Zähnen hervor.

„Ich glaube, das sind wir beide. Aber der Ring war meine Idee." Seine freie Hand legte er um ihren langen, graziösen Hals. „Und auch das hier."

Sie hatte keine Wahl, als sich küssen zu lassen. Gabriella versteifte sich unter seinem zärtlichen Streicheln. Sie zitterte, doch gleichzeitig beruhigte diese Berührung sie auch. Und als Gabriella ihren Widerstand aufgab, küsste er sie innig und leidenschaftlich.

Er fuhr ihr zärtlich durchs Haar, und mit der anderen Hand hielt er ihre Hand. Sie spürte allerdings einen so faszinierenden Reiz, als liebkose Reeve ihren ganzen Körper – wonach sie sich sehnte. Ein Kuss genügte nicht mehr. Tiefes Verlangen hatte von ihr Besitz ergriffen, Leidenschaft, wildes Begehren. Jetzt lag es nur an ihr, diesem Verlangen nachzugeben. Je länger Reeve sie umschlungen hielt, desto schwächer wurde ihr Widerstand.

Er hörte nicht auf, ihren Hals und ihre Schultern mit kleinen Küssen zu bedecken. Sie seufzte vor Lust. Behutsam spielte Reeve mit ihrer Unterlippe, fuhr tastend mit seiner Zunge an ihrer Oberlippe entlang.

Gabriella zitterte jetzt am ganzen Körper, und ihre Erregung übertrug sich auf Reeve. Langsam glitt seine Hand ihren Rücken hinab und von ihrer Hüfte wieder hoch bis zu ihrer Brust. Wie gerne hätte er sie jetzt geliebt, doch noch war es nicht so weit.

Wenn sie sich das erste Mal kompromisslos und voller Leidenschaft einander ergeben würden, dann müssten Familie, Hofstaat, ihr ganzer aristokratischer Hintergrund vergessen sein. Dann sollte es nur sie beide in einer unvergesslichen Vereinigung geben, die Gabriella nie vergessen würde.

In seinen Augen leuchtete das unerfüllte Verlangen, und ihre Haut brannte unter diesem Blick. Sie wusste, sie würde nicht mehr von ihm loskommen, weder heute noch morgen.

Es war bereits zu spät.

Sie musste sich sofort besinnen. Es kostete sie große Überwindung, doch sie löste sich von Reeve und erklärte fest: „Ich werde diesen Ring nicht tragen."

Noch ehe sie den Schmuck abstreifen konnte, nahm Reeve wieder ihre Hand.

„Und ich sagte, dass Sie ihn tragen werden. Seien Sie doch vernünftig. Entweder Sie vergessen Ihren Stolz für eine Weile oder Sie erklären bei jedem öffentlichen Auftritt, warum Sie keinen Verlobungsring tragen."

Wütend sah Gabriella auf ihre Hand herunter. „Verdammt."

„Das klingt schon besser, wenn auch nicht ganz fein für eine Prinzessin", antwortete Reeve mit einem zustimmenden Kopfnicken. „Sie können mich verfluchen, so viel Sie wollen, Hauptsache, Sie spielen das Spiel mit. Und vergessen Sie nicht, dieser Ring öffnet Ihnen die Tür zu vielen Freiheiten, die Verlobte nun einmal haben. Morgen gehen wir segeln, und dann ist das hier schon alles vergessen. Es wird niemanden geben, für den Sie dann eine Rolle zu spielen hätten."

Nachdenklich warf Gabriella noch einen Blick auf den strahlenden Diamanten. Reeve lächelte ihr fast freundschaftlich zu. Sie erwiderte sein Lächeln. „Einverstanden", sagte sie leise.

## 7. Kapitel

Gabriella fühlte sich auf dem Wasser ebenso zu Hause wie auf dem Land. Es machte ihr Spaß, festzustellen, dass sie mit Leinen und Segeln umgehen konnte. Auch allein an Bord hätte sie das kleine hübsche Boot zu führen vermocht. Dafür besaß sie genügend Kraft, Kenntnisse und Energie. Das Wasser klatschte gegen den dahinschießenden Rumpf. Wie vertraut war ihr dieses Geräusch!

Segeln war eine ihrer Leidenschaften. Jeder, mit dem Reeve sich unterhalten hatte, bestätigte es, und so hatte er diesen Gedanken gefasst. Sie sollte sich auf dem Wasser entspannen können.

Beim Ablegen hatte er ihr gleich die Ruderpinne überlassen. Sie drehte das Boot jetzt leicht aus dem Wind heraus. Im Einklang mit ihr zog Reeve am Hauptsegel, um die flatternde Leinwand zu glätten. Gabriella lachte auf, als es sich im Winde zu blähen begann.

„Ist das herrlich", rief sie. „Ich fühle mich frei und ganz locker."

Der Wind zerzauste ihr Haar, das Boot glitt immer schneller durch die Wogen. Welch wunderbares Gefühl der Freiheit, nachdem sie so lange unter der Aufsicht anderer gestanden hatte. Endlich hatte Gabriella etwas, über das sie selbst bestimmen konnte. Die Hand an der Ruderpinne, ging sie gekonnt auf Reeves Manöver ein, um die größtmögliche Geschwindigkeit zu erzielen.

Auch das Wetter spielte bei diesem Ausflug mit. Die Sonne strahlte warm auf das Wasser hinab. Gabriella klemmte sich die Pinne zwischen die Knie und zog ihr übergroßes Baumwollhemd aus. Darunter trug sie nur einen knappen Bikini. Sie wollte die Sonne und den Wind auf ihrer Haut spüren. Gekonnt lenkte sie das Boot so, dass kein anderes ihnen zu nahe kam. Sie wollte endlich allein sein, ein paar Stunden lang wie eine Privatperson leben, nicht wie eine Prinzessin.

„Ich bin früher auch schon segeln gegangen", stellte sie fest.

Reeve setzte sich, da das Boot für den Augenblick gut im Wind lag. „Es ist Ihr Boot", erklärte er. „Ihr Vater hat mir erzählt, dass Bennett allen anderen davonreitet, Alexander ist ein Meister im Fechten, aber Sie sind die beste Seglerin der Familie."

Nachdenklich strich Gabriella mit der Hand über die rutschige Mahagoni-Reling. „Liberté", sagte sie leise und dachte an den Namen des Bootes am Bug. „Mir scheint, ich brauche dieses Boot so wie die kleine Farm, um meine persönliche Freiheit zu genießen."

Reeve wandte sich zu ihr um. Auch er zog sein T-Shirt aus und warf es zur Seite. Er sieht so unbefangen aus, so ausgeglichen, dachte Gabriella. Seine Badehose saß äußerst knapp, aber Gabriella war nicht verlegen. Schließlich hatte sie seinen Körper schon eng an ihrem eigenen gefühlt. Sie hing dieser Erinnerung nach.

Reeve hatte einen festen, durchtrainierten Körper. Kleine Wassertropfen glitzerten auf seiner Haut. Ein gefährlicher Mann, wirklich, aber mit dieser Gefahr würde sie sich früher oder später auseinander setzen müssen. Noch war sie allerdings vorsichtig. „Ich weiß so wenig", sagte sie leise vor sich hin, „so wenig von mir und von Ihnen."

Reeve holte eine Zigarette aus der Schachtel, die auf dem Bootssitz lag, zündete sie an und blies den Rauch genussvoll aus. Dann sah er sie an und fragte: „Was wollen Sie von mir wissen?"

Gabriella antwortete nicht sogleich, sondern hielt den Blick auf ihn gerichtet. Dieser Mann konnte sich um sich selbst kümmern und auch um andere, wenn er wollte. Dieser Mann, dessen war sie sich sicher, lebte nach seinen eigenen Gesetzen. Und, wenn sie sich nicht völlig irrte, lebte er nach bereits festgesetzten Grundsätzen. Was waren seine Absichten? „Mein Vater vertraut Ihnen", stellte sie fest.

Reeve nickte und drehte das flaue Segel wieder in den Wind. „Er hat keinen Grund, es nicht zu tun."

„Nun ja, aber er kennt Ihren Vater besser als Sie selbst."

Reeve saß aufrecht. Die Arroganz ist nicht zu übersehen, dachte Gabriella, gleichgültig wie tadellos er auch erzogen ist. Leider war diese Arroganz auch einer der interessantesten Charakterzüge an ihm.

„Vertrauen Sie mir nicht, Gabriella?" Reeve sprach absichtlich leise, drohend. Er forderte sie heraus, und beide fühlten es. Ihre Antwort verschlug ihm dann jedoch die Sprache.

„Mit meinem Leben", erklärte sie schlicht. Dann legte sie das Boot wieder in den Wind und ließ es davonschießen.

Was sollte er darauf sagen? Ihre Worte klangen gar nicht ironisch oder spöttisch. Sie meinte das, was sie gesagt hatte, ganz ehrlich. Eigentlich sollte er stolz sein, und ihr Vertrauen würde ihm sogar seine Arbeit erleichtern.

Warum nur fühlte Reeve sich jetzt so unwohl in seiner Haut? Warum hatte er das bestimmte Gefühl, vorsichtig sein zu müssen?

Er hätte die Aufforderung des Fürsten ablehnen können, die Schein-Verlobung mit Gabriella einzugehen. Die Tatsache, dass es sich dabei um die logische Lösung eines höchst delikaten Problemes handelte, wurde nicht durch die Unsinnigkeit des Vorhabens aufgewogen. Und doch hatte er akzeptiert. Warum? Weil Gabriella seine Gedanken beherrschte?

„Die kleine Bucht dort drüben sieht herrlich ruhig aus", rief Gabriella und deutete mit der Hand in die Richtung. Ohne große Eile brachten sie das Boot auf den neuen Kurs. Sie nutzte den Wind gut aus, und nachdem sie die Taue festgezurrt hatte, setzte sie sich auf die Bank und blickte über die glitzernde Wasserfläche hinweg.

„Von hier sieht Cordina wie auf einer Postkarte aus, so zusammengewürfelt und weiß-bunt, richtig hübsch. Man kann sich nicht vorstellen, dass dort etwas Schreckliches passieren könnte."

Auch Reeve sah zur Stadt hinüber. „Aber Märchen gehen doch in der Regel nicht ohne Grausamkeiten ab, oder?"

„Sie haben Recht." Gabriella sah zum Palast hinauf. Wie kühn er dort thronte, mächtig und doch elegant. „Wie sehr Cordina auch nach einer Märchenstadt aussehen mag, sie ist es nicht. Findet Ihr praktischer, demokratisch denkender amerikanischer Verstand unsere Schlösser, den Prunk und das Protokoll lächerlich?"

Jetzt musste Reeve schmunzeln. Gabriella erinnerte sich zwar nicht an ihre Herkunft, aber ihr Verhalten war unverkennbar aristokratisch. „Ich finde, das Land wird sehr klug regiert. Lebarre ist einer der besten Häfen der Welt. In kultureller Hinsicht steht Cordina keiner anderen Großstadt nach, und die Wirtschaft hier ist gesund."

„Richtig. Auch ich habe meine Lektion gelernt. Aber ..." Gabriella fuhr sich mit der Zunge über die Lippen, ehe sie sich zurücklehnte und beide Arme um ihre Knie schlang. „Wussten Sie, dass es bis nach dem Zweiten Weltkrieg kein Wahlrecht für Frauen gab? Dann wurde es ihnen wie eine Gnade, nicht wie angestammtes Recht, bewilligt. Auch das Familienleben ist hier noch sehr patriarchalisch orientiert. Die Frau steht hinter ihrem Mann zurück, der alle Entscheidungen trifft."

„In der Theorie oder in der Praxis?" erkundigte sich Reeve.

„In der Praxis, soweit ich es beurteilen kann. Sogar der Titel meines Vaters kann laut Verfassung nur auf einen männlichen Erben übergehen."

Reeve hörte aufmerksam zu. „Ärgert Sie das?"

Gabriella warf ihm einen eigenartigen, fragenden Blick zu. „Ja, natürlich. Nur weil ich keine Lust zum Regieren verspüre, heißt das noch lange nicht, dass ich das Gesetz billige. Mein Großvater war derjenige, der den Frauen in Cordina das Wahlrecht zugesprochen hat, und mein eigener Vater ging noch einen Schritt weiter, indem er Frauen in wichtige Regierungsämter berief. Aber die Veränderungen gehen zu langsam vor sich."

„Da kann man nichts machen."

„Sie sind von Natur aus praktisch und vor allem geduldig veranlagt. Ich nicht", fuhr Gabriella mit einem Achselzucken fort. „Wenn Veränderungen zum Besseren führen, dann sehe ich keinen Grund, warum sie so lange brauchen."

„Sie müssen die gesellschaftliche Entwicklung berücksichtigen."

„Besonders dann, wenn einige Leute viel zu sehr in den Traditionen verwurzelt sind, um die Vorteile des Fortschritts zu erkennen."

„Loubet."

Gabriella nickte ihm zustimmend zu. „Jetzt sehe ich, warum mein Vater Sie gern hier bei uns hat, Reeve."

„Wie viel wissen Sie von Loubet?"

„Ich kann lesen", antwortete Gabriella einfach, „ich kann zuhören. Das Bild, das ich von ihm habe, ist das eines sehr konservativen Mannes. Verbohrt." Sie erhob und reckte sich, so dass ihr Bikini-Höschen sich über ihren Hüften spannte. „Gewiss, auf seine Art ist er ein guter Minister, aber viel zu zurückhaltend. In meinem Tagebuch habe ich gelesen, wie sehr er mich von meiner letztjährigen Afrika-Reise abzuhalten versucht hat. Er fand, es schicke sich nicht für eine Frau. Er meint auch, es gehöre sich nicht für mich, mit dem Nationalrat über Etatfragen zu sprechen." Gabriellas Worte ließen ihre Enttäuschung erkennen. Sie lernt schnell, dachte Reeve. „Wenn man Männern wie Loubet ihren Willen ließe, dann stünden die Frauen nur am heimischen Herd und dürften Kinder in die Welt setzen", setzte sie hinzu.

„Ich war immer der Ansicht, dass dafür zwei Parteien notwendig sind."

Gabriella lächelte zu Reeve herunter, sichtlich amüsiert und gelockert. „Aber Sie sind ja auch kein Mann der Vergangenheit. Ihre Mutter war doch Richterin am Bundesgericht, oder?"

Reeves verblüffter Blick brachte Gabriella zum Lachen. Auch ich habe meine Schularbeiten gemacht!" Sie strahlte. „Ich konnte Sie doch nicht einfach ignorieren. Sie haben Ihr Examen an der amerikanischen Universität mit summa cum laude bestanden. Und unter den augenblicklichen Umständen finde ich es besonders interessant, dass Sie in Psychologie diplomiert sind."

„Das war für den von mir angestrebten Beruf wichtig."

„Sicher. Nach zweieinhalb Jahren Polizeidienst und nach drei Auszeichnungen für besondere Tapferkeit gingen Sie zum Geheimdienst. Dann verliert sich Ihre

Spur etwas, aber man hört, dass Sie Mitglied der Abteilung waren, die eine der größten Verbrecherorganisationen, die in Columbia tätig war, zerschlug. Es gibt auch Gerüchte, dass Sie auf Wunsch eines bestimmten US-Senators Mitglied seiner Sicherheitstruppe waren. Mit Ihrem Ruf, Ihrer Intelligenz und Ihrem Wissen hätten Sie leicht den Rang eines Obersten erreichen können, trotz Ihrer Jugend. Stattdessen haben Sie sich plötzlich entschlossen, aus dem Geheimdienst auszuscheiden."

„Für jemanden, der gerade noch gesagt hat, er wisse nicht viel über mich, verfügen Sie allerdings über reichlich Einzelheiten."

„Diese Fakten sagen nichts über den Menschen aus." Gabriella hangelte sich zur Steuerbordseite. „Ich will mich etwas abkühlen. Kommen Sie mit?" Noch ehe er antworten konnte, war sie ins Wasser gesprungen.

Sie benahm sich ungemein aufreizend, aber Reeve musste erst herausfinden, ob das in voller Absicht geschah. Nachdenklich stand er auf und sprang mit einem eleganten Satz hinterher.

„Wundervoll", prustete Gabriella und schwamm träge im Wasser herum. Sie hatte schon getaucht, und jetzt klebte ihr das nasse Haar am Kopf. In diesem Licht und so feucht, wie es war, wirkte es fast kupferfarben. Auch ohne Make-up hatte sie ein bezauberndes Gesicht.

Ihn verlangte nach dieser Frau. Doch was wäre der Preis für seine Begierde?

„Wie ich höre, gehen Sie jeden Tag schwimmen", sagte Gabriella und drehte sich auf den Rücken. „Sind Sie ein guter Schwimmer?"

Reeve hielt sich mühelos neben ihr über Wasser. „Ja."

„Vielleicht leiste ich Ihnen einmal morgens Gesellschaft. Ich habe mich mittlerweile so weit wieder eingearbeitet, dass ich mir eine Stunde Freizeit am Tag erlauben kann. Reeve ..." Sie paddelte mit den Füßen so, dass es ein wenig spritzte. „Sie wissen, der GHBK-Ball findet in wenigen Wochen statt. Da gibt es eine Menge zu tun."

„Ich müsste taub sein, um das nicht mitbekommen zu haben. Im großen Ballsaal wird ja beinahe jeden Tag gehämmert und geklopft."

„Es gibt ein paar wichtige Dinge zu berücksichtigen", sagte Gabriella leichthin. „Ich erwähne das nur, weil ich der Meinung bin, dass man von Ihnen als meinem Verlobten erwartet, den Ball mit mir zu eröffnen und im besten Sinne des Wortes Gastgeber zu sein."

Reeve sah ihr zu, wie sie sich treiben ließ. „Ja, und?"

„Sehen Sie, bis dahin können wir unsere gesellschaftlichen Verpflichtungen auf ein Minimum beschränken. Obwohl die Entführung nicht mehr das Tagesthema ist, so liefert sie uns doch eine glänzende Entschuldigung dafür, nicht zu häufig öffentlich aufzutreten. Der Ball hingegen ist ein großes gesellschaftliches Ereignis mit vielen Gästen und noch mehr Presse. Ich frage mich, ob mein Vater sich Gedanken über den öffentlichen Druck gemacht hat, dem Sie in dieser ... Stellung ausgesetzt sind."

Reeve tauchte tiefer ins Wasser und schwamm näher zu Gabriella hin, wahrte jedoch immer noch eine gewisse Distanz dabei. „Sind Sie der Ansicht, dass ich damit nicht fertig werden kann?"

Gabriella blinzelte mit den Augen und lachte ihm dann zu. „Ich habe keinen Zweifel, dass Sie perfekt mit dieser Situation umgehen können. Schließlich bewundert Alexander ja Ihren Verstand und Bennett Ihren Schneider. Sie könnten also keine besseren Voraussetzungen mitbringen."

Er war belustigt. „Nun, und?"

„Es geht einfach nur darum: Je länger dieses Theater dauert, desto mehr wird von Ihnen verlangt. Sogar dann, wenn die Verlobung wieder aufgelöst sein wird, werden Sie, vielleicht jahrelang, unter den Folgen zu leiden haben."

Reeve legte sich auf den Rücken und schloss die Augen. „Machen Sie sich darüber keine Sorgen, Brie. Ich tue es jetzt auch noch nicht!"

„Vielleicht ist gerade das der Grund, warum ich mir welche mache", beharrte sie. „Schließlich bin ich ja der Grund dafür."

„Nein", widersprach er sanft, „Ihre Entführung ist der Grund!"

Einen Moment lang schwieg sie. Schließlich hatte er ihr das von ihr erwartete Stichwort gegeben. Sie war nicht sicher, ob sie es aufgreifen sollte, aber sie fuhr trotzdem fort: „Reeve, ich will gar nicht wissen, ob Sie ein guter Geheimpolizist gewesen sind, oder auch ein qualifizierter Privatdetektiv. Aber macht Ihnen Ihre Arbeit Freude?"

Diese Frage hatte ihm noch nie jemand gestellt. Er selbst hatte sich das noch nie gefragt, jedenfalls bis vor kurzem nicht.

„Ja, meine Arbeit verschafft mir eine gewisse Genugtuung. Ich habe an meine Aufgabe beim Geheimdienst geglaubt. Und auch heute nehme ich nur dann einen Fall an, wenn ich davon überzeugt bin."

„Warum befassen Sie sich dann nicht mehr mit der Entführung als mit mir?"

Reeve schwamm so zu ihr hin, dass er ihr ins Gesicht sehen konnte. Auf diese Frage hatte er schon gewartet. „Ich bin kein Angestellter meines Landes mehr, sondern Privatdetektiv. Und außerdem – ich hätte in keiner dieser Positionen hier eine gesetzliche Grundlage."

„Ich rede nicht über Gesetze und Legalitäten, sondern über Ihre Neigung."

„Einer der bewundernswertesten und ärgerlichsten Charakterzüge an Ihnen ist Ihr Einfühlungsvermögen. Solange Ihr Vater keine andere Entscheidung fällt, bin ich Ihr offizieller Leibwächter, und nur das."

Gabriella spürte, wie er mit seinen Fingern im Wasser über ihr Haar strich. Sie spürte auch die flüchtige Berührung ihrer Beine beim Schwimmen. „Wenn ich Sie um etwas bitten würde?"

Reeve ließ seine Hand auf ihren Haaren, doch die Frage lenkte ihn ab. „Was möchten Sie, Brie?"

„Hilfe. Ich habe keine Vorstellung vom Stand der Untersuchungen und stehe mitten zwischen meinem Vater und Loubet. Beide schließen mich völlig aus, und das missfällt mir."

„Sie möchten also, dass ich für sie Nachforschungen anstelle und Ihnen darüber berichte?"

„Ich habe überlegt, ob ich es selbst tun sollte, aber Sie sind viel erfahrener. Außerdem ..." Sie warf ihm ein bezauberndes Lächeln zu. „... kann ich ohnehin keinen Schritt ohne Sie tun."

„Haben Eure Hoheit für mich eine andere Verwendung gefunden?"

Gabriella hob eine Braue und versuchte, trotz all der Nässe möglichst würdevoll auszusehen. „Ich habe das nicht als Beleidigung verstanden wissen wollen."

„Nein, wahrscheinlich nicht." Reeve ließ sie los. Vielleicht konnten sie sich jetzt auf eine weitaus intimere Art nahe kommen?

Ein Rückzug war jetzt nach Gabriellas Einschätzung strategisch günstiger als ein Angriff. „Ich werde mich damit zufrieden geben müssen." Mit drei kräftigen Zügen schwamm Sie zum Boot zurück und kletterte hinein. „Wollen wir den Geflügelsalat und den Wein probieren, den Nanny für uns eingepackt hat?"

Tropfend schwang Reeve sich an Deck. Das Wasser perlte von ihm ab. „Kümmert sich Nanny immer um Ihre Verpflegung?"

„Es macht ihr Spaß. Für sie sind wir immer noch ihre Kinder."

„Nun gut. Wir sollten das Essen nicht schlecht werden lassen."

„Aha, der Praktiker spricht wieder aus Ihnen. Gabriella rubbelte sich ihr Haar mit einem Handtuch trocken und ließ es dann offen auf ihre Schultern fallen. „Schön, kommen Sie mit mir in die Kabine und

helfen Sie mir. Sie hat uns sogar Apfelkuchen eingepackt."

Sie stieg in die Kajüte hinunter und die Wassertröpf-
chen glitzerten auf ihrer Haut. „Mir scheint, Sie kennen
sich sehr gut auf einem Schiff aus", meinte sie, als sie
unten ankamen.

„Ich bin viel mit meinem Vater gesegelt."

„Heute nicht mehr?" Gabriella holte die Weinfla-
sche aus der Kühlbox und betrachtete sie wohlgefällig.

„In den letzten zehn Jahren hatten wir nicht mehr
viel Zeit dafür. Jeder ging seiner eigenen Wege."

„Aber Sie mögen ihn?"

„Ja, ich mag ihn sehr." Reeve nahm ihr die Flasche
aus der Hand und griff nach dem Korkenzieher.

„Ist er wie mein Vater? So würdig und intelligent?"
Gabriella suchte nach Gläsern.

„Sehen Sie so Ihren Vater?"

„Ich denke schon." Sie wirkte jetzt ein wenig nachdenklich. Reeve goss Wein in die Gläser. „Und gütig, ja,
aber sehr diszipliniert." Gabriella fühlte sich der Liebe
ihres Vaters sicher, aber für ihn kamen sein Land und
seine Position an erster Stelle. „Männer wie er müssen
wahrscheinlich so sein. Genau wie Sie."

Er prostete ihr zu und musste dabei lächeln. „Würdig, intelligent oder gütig?"

„Diszipliniert", erwiderte Gabriella und sah ihn unsicher an. „Ich wüsste gern, was Sie denken, wenn Sie mich ansehen."

Der Wein schmeckte herb und kühl.

„Ich denke, das wissen Sie."

„Nicht ganz." Sie nahm einen weiteren Schluck und hoffte, er würde nicht bemerken, dass sie sich damit ein bisschen Mut antrinken wollte. „Ich weiß, dass Sie mit mir schlafen wollen."

Sie stand im hellen Sonnenlicht, das durch die offene Kajütentür fiel. „Ja", antwortete er direkt.

„Ich frage mich, warum." Gabriella hielt ihr Glas mit beiden Händen umschlossen. „Wollen Sie mit jeder Frau schlafen, die Sie kennen lernen?"

Unter anderen Umständen hätte er gedacht, sie kokettiere mit ihm, aber ihre Frage war so einfach gemeint, wie sie klang. „Nein."

Gabriella brachte ein Lächeln zu Wege, obwohl ihr Puls schneller schlug. War dies die Art und Weise, wie man dieses Spiel spielte? Und wollte sie dabei mitmachen? „Nun, dann die eine oder andere?"

„Nur, wenn sie bestimmte Voraussetzungen erfüllen."

„Und die wären?"

Reeve legte ihr die Hand unter das Kinn. „Wenn morgens mein erster Gedanke um sie kreist, noch ehe ich weiß, welcher Tag es ist."

„Aha." Gabriella drehte ihr Glas zwischen den Fingern, die vor Aufregung etwas feucht waren. „Und denken Sie morgens als Erstes an mich?"

„Wollen Sie ein Kompliment hören, Gabriella?"

„Nein."

Er hob ihren Kopf etwas an. Sie versteifte sich nicht und zog sich auch nicht zurück, aber wieder hatte er das Empfinden, dass sie innerlich vorbereitet war, als warte sie auf etwas.

„Was dann?"

„Verständnis. Ich kenne mich und meine Vergangenheit nicht. Ich versuche, herauszufinden, ob ich mich zu Ihnen hingezogen fühle oder nur zu dem Gedanken, mit einem Mann zusammen zu sein."

Das war deutlich genug. Nicht besonders schmeichelhaft aber direkt. Reeve hatte es herausgefordert, Ihre Finger waren verkrampft, als er ihr das Glas aus der Hand nahm und es beiseite stellte. Das verschaffte ihm eine gewisse Genugtuung. „Und fühlen Sie sich zu mir hingezogen?"

„Wollen Sie jetzt ein Kompliment hören?"

Ein Lächeln blitzte in seinen Augen auf. Gabriella erwiderte es. „Nein." Kurz und flüchtig berührte er ihre Lippen, während sie sich in die Augen sahen. Es sieht so aus, als wollten wir beide dasselbe."

„Vielleicht." Sie zögerte kurz, ehe sie ihm die Hände

auf die Schultern legte. „Vielleicht ist es jetzt an der Zeit, herauszufinden, ob es wirklich so ist."

Genau so hatte Reeve es sich vorgestellt, weit weg vom Palast mit seinen Mauern. Nur das Wasser klatschte ruhig gegen den Rumpf des Bootes. Die Kajüte war klein und niedrig. Licht und Schatten wechselten sich darin ab. Und sie waren beide allein.

Alles das entsprach seinen Vorstellungen, und dennoch zögerte Reeve.

„Du wirkst nicht sehr überzeugend", bemerkte Gabriella sanft und liebkoste seine Wange. Sie fühlte die Erregung in sich aufsteigen, schneller, als sie erwartet hatte. Sie merkte, dass Reeve Zweifel plagten und dass er in Gedanken nicht bei der Sache war. Das tröstete sie irgendwie, denn es wäre ihr sehr unlieb gewesen, als Einzige jetzt nervös zu sein.

„Ich komme zu dir ohne jede Vergangenheit. Lass uns jetzt in diesem Augenblick ein Mal vergessen, dass keiner von uns beiden dabei eine Zukunft hat. Lass uns zusammen sein, Reeve, heute, nur eine Stunde, einen kurzen Augenblick."

Es sollte nur eine Sache des Augenblickes sein. So hatten es beide beschlossen. Doch für sie beide spielte diese Entscheidung keine Rolle mehr.

Sie pressten ihre Körper aneinander, hungrig suchten sich ihre Lippen. Gabriella streichelte seinen Rücken, zuerst zärtlich, dann immer erregender. Reeves Begierde wuchs, und voller Verlangen zog er sie langsam zur Koje hinüber.

Gabriella öffnete ihre Augen und sah Reeve an. Sein Gesicht war direkt vor dem ihren. Das war das Bild, von dem sie geträumt hatte. Diesen Augenblick hatte sie sich ersehnt.

Wieder küsste sie ihn wild und hingebungsvoll. Der Kuss war süß und je länger er dauerte, desto mehr entflammte ihr Begehren. Gabriella war wunderschön anzusehen. Sie hatte einen geschmeidigen, ebenmäßigen Körper, und ihr Anblick steigerte sein Verlangen ins Unerträgliche.

Sie stöhnte auf und drehte sich herum, so dass Reeve unter ihr lag. Seine Hände brannten auf ihrer Haut, er drückte sie an sich, und mit all seiner Leidenschaft drang er in sie ein. Das Gefühl, das sie jetzt erfüllte, hätte sie nie in Worten auszudrücken vermocht, aber eine Welle des Glücks durchströmte sie, und ihre schmalen, hellen Hände pressten sich gegen seine sonnengebräunte Haut.

Ihr ganzer Körper verlangte nach seinen Zärtlichkeiten. Beide ließen sich vom Rausch des Augenblicks forttragen, hielten sich fest umschlossen, zwei Körper in einer Bewegung.

Reeve hatte seine Erfahrungen mit der Liebe, aber eine solch bedingungslose Hingabe hatte auch er noch nicht kennen gelernt. Bei jeder Bewegung stöhnte Brie auf, und ihre Erregung reizte ihn nur noch mehr. Und plötzlich waren alle Gedanken ausgeschaltet, und sie verschmolzen in einer einzigen, sich erfüllenden Leidenschaft.

Vielleicht war nur ein Augenblick verstrichen. Gabriella und Reeve hatten jedes Zeitgefühl verloren. Erschöpft lagen sie beieinander, verschwitzt und mit klopfenden Herzen. Gabriella fühlte sich überwältigt, fortgerissen.

Reeves heftiger Atem war heiß an ihrem Ohr, ihre Hand lag auf seiner Brust. Von jetzt an würde Gabriella für ihn nicht mehr dieselbe Frau sein wie vorher.

Sie blickte in das Sonnenlicht, das in die Kabine fiel. Es war noch immer dieselbe Sonne und dieselbe See, die gegen das Boot schwappte. Aber sie war nicht mehr dieselbe Gabriella. Von diesem Tag an nicht mehr.

Reeve hob den Kopf und sah in ihre dunklen Augen. Ihre Haut glühte noch immer von der gerade erlebten Leidenschaft. Ihm war klar, dass er jetzt nicht mehr so objektiv und neutral sein konnte. Stets war er der Meinung gewesen, seine Gefühle kontrollieren zu können, aber jetzt waren sie von Gabriella abhängig.

„Tut es dir Leid?"

Sie drehte ein wenig den Kopf und fragte mit sicherer Stimme zurück: „Nein. Dir?"

Zärtlich fuhr Reeve mit einem Finger an ihrer Wange entlang. „Nein, warum sollte es mir Leid tun, wenn jemand mir etwas so Schönes schenkt?" Liebevoll gab er ihr einen langen Kuss. „Wie kann es mir Leid tun, dich geliebt zu haben, wenn ich schon darüber nachdenke, wann wir es wieder tun werden?"

Sie verzog etwas die Lippen. Er half ihr, dass sie sich genüsslich an ihn kuscheln konnte. Noch wollte er nicht darüber nachdenken, wie er sie, sobald sie nach Cordina zurückgekehrt waren, unterstützen musste, für sie denken, für sie planen musste. Diesen Augenblick wollte er so lange wie möglich genießen.

Zufrieden schmiegte Gabriella sich an ihn und streichelte mit einer Hand seinen muskulösen Oberkörper. Dadurch fiel ihr Blick direkt auf ihren Verlobungsring. In diesem Dämmerlicht wirkte er nicht so provozierend gleißend. Er schien ganz selbstverständlich zu ihr zu gehören. Schnell schloss sie die Augen, denn dieser Ring war ja kein Teil der Wirklichkeit, nur ein Stein in einem komplizierten Spiel. Aber Reeve ist jetzt meine Wirklichkeit dachte sie und ließ sich von dem Gedanken forttragen.

## 8. Kapitel

*N*ichts scheint leichter zu werden, dachte Gabriella, während sie den langen Flur mit den hohen Fenstern hinunter zum Großen Ballsaal ging. Statt von Tag zu Tag einfacher zu werden, wurde ihr Leben immer komplizierter. Hatte Reeve ihr nicht gesagt, das Leben sei niemals problemlos?

Noch vor einer Woche hatte sie neben ihm in dieser kleinen Koje gelegen, schläfrig und erschöpft, bis sie sich von neuem einander zugewandt und sich wieder geliebt hatten. Sind wir jetzt nicht ein Paar? fragte sie sich und blieb kurz an einem der Fenster stehen. Hieß es nicht, dass Liebende ganz ineinander aufgingen und nur Interesse füreinander hatten? Doch inzwischen war eine ganze Woche verstrichen. In dieser Zeit hatte Reeve sich untadelig und höflich verhalten. Sein Benehmen war sehr aufmerksam, auf seine Art sogar freundlich. Aber er hatte es vermieden, sie auch nur zu berühren.

Gabriella stützte sich auf den Fenstersims und blickte hinunter. Es war gerade der Moment der Wachablösung. Während sie der stillen, irgendwie reizvollen Prozedur zuschaute, fragte sie sich, ob Reeve vielleicht der Meinung sei, dass auch in ihrer Beziehung ein Wechsel notwendig sei. Was sollte sie tun, wenn er sie verließe?

Natürlich war ihr von Anfang an klar gewesen, dass sie sich ins Gerede bringen würde. Ihre Verlobung machte noch immer Schlagzeilen, nicht nur in Cordina und Europa, sondern sogar in den Vereinigten Staaten. Es war schlichtweg unmöglich, eine Illustrierte durchzublättern, ohne auf Berichte über dieses Thema zu stoßen.

Gabriella zuckte die Schultern. Damit konnte man fertig werden. Klatsch kam auf und wurde wieder vergessen. Gedankenverloren drehte sie den Diamantring an ihrem Finger. Wirklich, das Gerede hatte keine Bedeutung, aber Reeve dafür umso mehr.

Er würde wahrscheinlich auf seine Farm zurückkehren, zurück in sein Land und zu seinem eigenen Leben. Darüber waren sie, ihre Familie und eine Hand voll vertrauenswürdiger Leute sich lange schon im Klaren. Selbst wenn Reeve sie bitten würde, mitzugehen, würde sie ihm folgen?

Allerdings würde er sie sicherlich gar nicht erst fragen, sagte sie sich. Schließlich war sie in seinem Leben nur eine Episode. Für ihn stellte sich die Situation ja ganz anders dar.

Brie schloss die Augen und bemühte sich, wieder in die Wirklichkeit zurückzukommen. Sie musste zu träumen aufhören und sich wieder ihrer verantwortlichen Stellung besinnen. Es würde keine rauschende Hochzeit geben, kein bezauberndes weißes Hochzeitskleid mit Schleier und Schleppe, um dessen Herstellung sich alle bedeutenden Modeschöpfer reißen würden. Es gäbe keine Hochzeitstorte und keine Gardisten. Stattdessen würde alles auf einen höflichen Abschied hinauslaufen. Sie hatte kein Recht, sich eine andere Lösung herbeizusehnen. Doch genau das wünschte sie sich mehr als alles andere.

Gabriella wandte sich vom Fenster ab und machte einen erschreckten Schritt rückwärts, als sie die Gestalt im dunklen Korridor ausmachte.

„Alexander!" Sie ließ die Hand, die sie vor Schreck auf ihr Herz gepresst hatte, sinken. „Hast du mich erschreckt!"

„Das wollte ich nicht. Du sahst so ..." Eigentlich wollte er „unglücklich und verloren" sagen, doch dann fuhr er fort: „... nachdenklich aus."

„Ich habe der Wachablösung zugesehen." Sie lächelte ihn ebenso höflich an wie jeden anderen auch, ausgenommen Reeve. Alexander spürte das irgendwie. „Sie sehen so adrett und hübsch in ihren Uniformen aus. Ich war gerade auf dem Weg in den Ballsaal, um mich zu vergewissern, dass alles in Ordnung ist. Man sollte kaum glauben, dass nur noch so wenig Zeit bleibt, bis der Ball stattfindet. Und es muss noch so entsetzlich viel getan werden. Fast alle Eingeladenen haben schon ihre Zusagen geschickt, deshalb ...“

„Brie, musst du mit mir so gezwungen höflich reden?“

Sie öffnete den Mund, sagte dann aber nichts. Er hatte es sehr passend ausgedrückt, das konnte sie nicht leugnen. „Es tut mir Leid, alles ist noch so verwirrend.“

„Mir wäre es lieber, du würdest dich mir gegenüber etwas natürlicher geben.“ Er war sichtlich verärgert. „Bei Reeve fällt dir das doch auch nicht schwer.“

Gabriellas Tonfall wurde eisig. „Ich habe mich einmal entschuldigt und sehe keine Notwendigkeit, dir eine andere Erklärung zu geben.“

„Deine Entschuldigung war nicht notwendig.“ Mit schnellen, konzentrierten Schritten kam er zu ihr herüber.

Obwohl Alexander größer als Gabriella war, standen sie sich, wie früher schon, als gleichwertige Partner gegenüber. „Ich möchte nur, dass du deiner Familie die gleiche Aufmerksamkeit schenkst wie einem Fremden!“

Gabriella war den Vorwurf leid. Sie fing an, ärgerlich zu werden. Ihre Stimme klang drohend, jeder Anflug einer Entschuldigung war geschwunden. „Ist das ein Rat oder ein Befehl?“

„Noch nie ist es jemandem gelungen, dir einen Befehl zu erteilen", versetzte Alexander wütend. Jetzt brach sein wochenlang gebändigtes Temperament mit ihm durch. „Und du hast auch noch nie einen Rat von jemand anderem angenommen. Wenn wir uns auf ein richtiges Verhalten deinerseits hätten verlassen können, dann hätten wir uns die Einladung eines Fremden gewiss ersparen können."

„Ich sehe keine Notwendigkeit, Reeve hier ins Gespräch zu bringen."

„Nein?" Alexander packte sie am Arm. „Wie steht ihr eigentlich zueinander?"

Jetzt war nicht nur Gabriellas Stimme frostig, sondern sie sah ihren Bruder auch mit einem eiskalten Blick an. „Das geht dich überhaupt nichts an."

„Meine Güte, Brie, ich bin dein Bruder."

„Das hat man mir gesagt", antwortete sie langsam und war bemüht, ihn damit nicht zu kränken. „Und auch, dass du ein paar Jahre jünger bist als ich. Ich finde es überflüssig, dir oder irgendjemandem sonst Rede und Antwort über mein Privatleben zu stehen."

„Ich bin vielleicht jünger", stieß Alexander hervor, „aber ich bin ein Mann und weiß sehr wohl, woran ein Mann denkt, wenn er dich so wie dieser Amerikaner ansieht."

„Alexander, hör' endlich auf, ihn ‚diesen Amerikaner' zu nennen, als wäre er ein Mensch zweiter Klasse.

Und ..." sprach sie schnell weiter, ehe Alexander etwas entgegnen konnte, „wenn mir die Art und Weise, in der Reeve mich angesehen hat, nicht passen würde, dann könnte ich ihm das selber sagen. Ich bin sehr wohl in der Lage, mich um mich selbst zu kümmern."

„Wenn das so wäre, wären uns allen die Aufregungen vor ein paar Wochen erspart geblieben." Gabriella erbleichte. Offensichtlich ging der Zorn mit Alexander durch. „Entführt, gefangen gehalten und schließlich ins Krankenhaus eingeliefert. Tagelang haben wir uns gesorgt, gewartet, gehofft und tatenlos herumgesessen. Kommst du nicht selbst auf die Idee, dass wir die Hölle durchgemacht haben? Vielleicht kannst du dich nicht an uns erinnern, vielleicht haben wir im Augenblick für dich wirklich keine Bedeutung. Aber das ändert nichts an unseren Gefühlen für dich."

„Glaubst du, dieser Zustand gefällt mir?" Plötzlich traten ihr die Tränen in die Augen. Es gelang ihr nicht mehr, sie zurückzuhalten. „Du weißt ja nicht, wie sehr ich mich quäle, meine Erinnerung wiederzugewinnen. Stattdessen kritisierst und beleidigst du mich. Du drängst mich förmlich in die Ecke."

Sein Zorn legte sich, und er fühlte sich schuldig. Er hatte vergessen, welchen Eindruck sie auf ihn gemacht hatte, als sie da am Fenster stand. „Das ist meine Art", sagte er begütigend. „Du hast immer gesagt, ich übte die Regierung über Cordina aus, indem ich dich und Bennett regierte. Es tut mir Leid, Brie. Ich habe dich sehr lieb. Und das wird immer so sein."

„Oh, Alexander." Sie zog ihn an sich und umarmte ihn zum ersten Mal. Er war so groß, so aufrecht. Zum ersten Male empfand sie einen gewissen Stolz für ihn. Es fiel ihr bestimmt nicht leicht, darauf warten zu müssen, dass alles wieder in normalen Bahnen lief, aber auch für ihren Bruder war es nicht einfach. „Haben wir uns immer so gezankt?"

„Immer." Er drückte sie fest an sich und küsste sie auf das Haar. Vater sagt stets, das liege daran, dass wir beide glauben, schon alles zu wissen."

„Nun, das kann ich von mir jetzt nicht mehr behaupten." Sie seufzte tief und machte sich von ihm los. „Bitte, sei nicht gegen Reeve, Alex. Ich muss gestehen, dass ich das anfänglich auch war. Doch jetzt sehe ich, dass es für ihn ein großes Opfer ist, hier zu bleiben und alle Schachzüge mitzumachen, obwohl er wahrscheinlich viel lieber bei sich zu Hause wäre."

„Das wird mir ziemlich schwer fallen." Alex steckte die Hände in die Taschen und sah aus dem Fenster. „Ich weiß, dass ihn niemand zwingen kann und dass das, was er für uns tut, ein großer Gefallen ist. Ich mag ihn übrigens."

Gabriella lächelte in der Erinnerung, dass auch Bennett dieselben Worte benutzt hatte. „Das dachte ich mir."

„Es geht mir nur darum, dass in eine solche Situation kein Außenstehender hineingezogen werden sollte. Es ist schlimm, aber unvermeidlich, dass schon Loubet davon betroffen ist."

„Würde es dich ärgern, wenn ich dir gestehen würde, dass es mir viel lieber ist, Reeve um mich zu haben als Loubet?"

Zum ersten Mal sah sie ein spitzbübisches Lächeln auf Alexanders Gesicht. „Ich würde sagen, du hättest den Verstand verloren, wenn es anders wäre."

„Eure Hoheit!"

Alexander und Gabriella drehten sich gleichzeitig um. Janet Smithers verbeugte sich ehrerbietig vor ihnen. „Ich bitte um Entschuldigung, Prinz Alexander, Prinzessin Gabriella."

Sie machte wie immer einen tadellos gepflegten Eindruck. Ihr Haar war sorgfältig zurückgekämmt, und sie trug ein klassisch geschnittenes graues Kostüm. Gabriella fand Janet Smithers langweilig. Gewiss war sie eine tüchtige, intelligente, flinke und unauffällige Person, aber wenn sie sich in einem Zimmer mit vier anderen Leuten aufhielte, dann würde kein Mensch sie auch nur bemerken. Diese Unscheinbarkeit ließ Gabriella einen freundlichen Ton ihr gegenüber anschlagen.

„Brauchen Sie meine Hilfe für etwas, Janet?"

„Sie hatten von einer Christina Hamilton einen Anruf, Eure Hoheit."

„Christina ..." Verwirrt versuchte Gabriella, sich an die mit diesem Namen verbundenen Umstände zu erinnern.

„Du bist mit ihr zur Schule gegangen", half Alexander ihr nach und legte ihr seine Hand auf die Schulter. Wie merkwürdig, dass er sie über ihre beste Freundin zu informieren hatte. „Sie ist Amerikanerin, die Tochter eines Architekten."

„Ja, ich habe sie in – Houston besucht. Man schreibt in der Zeitung, dass sie wahrscheinlich meine Brautjungfer sein wird." Gabriella dachte an die ihr zur Verfügung gestellten Zeitungsausschnitte. Christina war eine große Frau von blendendem Aussehen, mit einer dunklen Mähne und einem boshaften Lächeln. „Sie sagten, sie habe angerufen, Janet. Hat sie eine Nachricht hinterlassen?"

„Sie bat mich, Sie zu suchen, Eure Hoheit." Janet zeigte mit keiner Miene, was sie über diese Bitte dachte. „Ich soll Ihnen ausrichten, dass sie pünktlich um elf Uhr noch einmal anrufen wird."

„Danke." Gabriella warf einen belustigten Blick auf

ihre Uhr. Sie hatte noch eine Viertelstunde Zeit. „Nun gut, ich werde besser in mein Zimmer gehen. Janet, wenn es Ihnen nichts ausmacht, dann gehen Sie doch bitte für mich in den Ballsaal, und notieren Sie sich alles, was noch erledigt werden muss. Ich fürchte, dazu habe ich jetzt keine Zeit mehr."

„Selbstverständlich, Eure Hoheit." Wieder verneigte sich Janet beinahe mechanisch vor ihnen, ehe sie den Korridor hinunterging.

„Welch außerordentlich langweilige Person", meinte Alexander, als Janet außer Hörweite war.

„Alex", rief Gabriella ihn automatisch zur Ordnung, obwohl sie derselben Ansicht war.

„Ich weiß, sie hatte makellose Referenzen und ist eine zweifellos tüchtige Kraft. Aber es muss entsetzlich langweilig sein, sie jeden Morgen sehen zu müssen."

Gabriella zuckte leicht mit den Schultern. „Ich fühle mich morgens durch sie nicht gerade motiviert, aber ich muss einen Grund gehabt haben, sie überhaupt einzustellen."

„Damals sagtest du, du wolltest eine allein stehende Frau, mit der dich nicht viel verbinde. Als Alice, Janets Vorgängerin, dich verließ, warst du tagelang schlecht gelaunt."

„Nun, dann habe ich sicher eine gute Wahl getroffen." Alexander lachte kurz auf, und Gabriella antwortete mit einem erneuten Schulterzucken. „Ich glaube, ich gehe besser, ehe der Anruf kommt." Sie wollte vorher schnell noch einen Blick in ihre Notizen werfen und ihre Erinnerung an Christina Hamilton auffrischen. Doch ehe sie sich umdrehte, reichte sie Alexander noch die Hand. „Sind wir Freunde?"

Alexander ergriff ihre Hand und machte eine pompöse Verbeugung. „Ja, aber ich werde ein Auge auf den Amerikaner halten."

„Wie du meinst", antwortete Gabriella gelassen und ging auf ihre Suite zu. Alexander sah ihr nach, bis sie um die Ecke verschwand. Vielleicht sollte er sich auch mit Reeve MacGee unterhalten, schoss es ihm durch den Kopf. Das könnte ihn beruhigen.

Nachdem sie wieder in ihrem Zimmer war, setzte Gabriella sich auf das kleine Sofa und nahm ihre Notizen zur Hand, die sie sich anhand der Gespräche mit Reeve und ihrer Sekretärin gemacht hatte. Sie hatte sie in alphabetische Ordnung gebracht, und diese Aufzeichnungen waren ihre einzige Verbindung zu den Menschen, die sie einst so gut gekannt hatte. Wenn ihr Gedächtnisschwund ein gut gehütetes Geheimnis bleiben sollte, dann durfte sie sich nicht den kleinsten Fehler erlauben.

Christina Hamilton, murmelte sie und suchte nach

den zwei Seiten voller Notizen, die alles betrafen, was ihre einst beste Freundin anging. Sie hatten vier Jahre zusammen an der Sorbonne in Paris verbracht. Gabriella schloss die Augen und hatte das Gefühl, Paris vor sich zu sehen, die regennassen Straßen, die herrlichen alten Bauten und den irrsinnigen Verkehr. Aber Christina Hamiltons Bild schob sich bedauerlicherweise nicht dazwischen.

Chris, berichtigte Gabriella sich selbst, das war die Abkürzung für ihren Namen. Chris hatte Kunst studiert und besaß jetzt eine Galerie in Houston. Es gab eine jüngere Schwester namens Eve, die Chris abwechselnd gelobt und verflucht hatte. Sie hatte Liebesaffären.

Gabriella hob die Augenbrauen, als sie die Liste der Männer, mit denen Chris zusammen gewesen war, durchging. Aber bei keinem hatte es zu einer Heirat gelangt. Mit fünfundzwanzig war die Freundin noch immer unverheiratet, eine erfolgreiche, unabhängige Künstlerin und Geschäftsfrau. Gabriella war eine Sekunde lang neidisch auf Chris.

Eine interessante Person, dachte sie. Waren sie vielleicht einmal Rivalinnen gewesen? Sie hatte alle Fakten, Zahlen und Informationen vor sich, aber die sagten nichts über ihre Gefühle aus.

Sie behielt die Unterlagen in der Hand, als ihr Pri-

vattelefon klingelte. Sie nahm den Hörer ab. „Hallo",
meldete sie sich.

„Du könntest wenigstens an Ort und Stelle sein,
wenn dich eine alte Freundin über den Atlantik her an-
ruft!"

Sie mochte diese Stimme sofort. Sie hatte einen warmen, spröden, fast schläfrigen Klang. Gabriella war
traurig, dass sie sich nicht ihrer Empfindungen für
Chris bewusst war. „Chris ..." Sie zögerte, doch dann
sprach sie einfach weiter: „Weißt du nicht, dass auch
Hoheiten beschäftigt sind?"

Ein herzliches Lachen klang an ihr Ohr, aber Gabriella war immer noch leicht gespannt. „Du weißt
doch, wann immer dir deine Krone zu schwer wird,
kannst du hierher nach Houston zur Erholung kommen. Wie geht es dir, Brie?"

„Ich ..." Erstaunlicherweise wollte Gabriella ihr alles erzählen, ihr das Herz ausschütten. Diese Stimme
ohne Gesicht flößte so viel Vertrauen ein. Doch sie hielt
sich zurück. „Danke, es geht mir gut."

„Ich bin Chris, das weißt du doch? Als ich von deiner Entführung erfuhr, Brie, wäre ich ..." Sie brach ab
und Gabriella hörte gerade noch einen unterdrückten
Fluch. „Ich habe mit deinem Vater gesprochen. Ich
wollte zu euch kommen. Aber er meinte, für dich sei
das momentan nicht ratsam."

„Wahrscheinlich nicht. Ich brauche Zeit, aber es freut mich zu hören, dass du kommen wolltest."

„Meine Liebe, ich werde dir keine Fragen stellen. Ich bin sicher, es ist für dich das Beste, diese ganze Geschichte zu vergessen."

Gabriella lachte kurz und heftig auf. „Genau diesen Rat scheine ich gut zu befolgen."

Chris wartete einen Augenblick und wusste mit Gabriellas Reaktion nicht viel anzufangen. Aber sie ging nicht näher darauf ein. Ich will nur wissen, was zum Teufel eigentlich da bei euch in Cordina los ist."

„Was soll los sein?"

„Diese geheime Blitzromanze, die jetzt kurz vor der Verlobung steht! Brie, ich weiß, du bist immer diskret gewesen, aber ich kann einfach nicht glauben, dass du mir kein Wort davon erzählt hast. Du hast Reeve MacGee nicht ein einziges Mal erwähnt!"

„Nun, wahrscheinlich wusste ich nicht, was ich sagen sollte." Das kommt der Wahrheit sogar sehr nahe, dachte Gabriella betroffen. „Alles ging so schnell. Die Verlobung wurde erst festgesetzt, beziehungsweise überhaupt besprochen, als Reeve im letzten Monat hierher kam."

„Wie denkt dein Vater darüber?"

Gabriella lächelte bitter und war dankbar, dass sie

jetzt nicht auf ihren Ausdruck Acht geben musste. „Man könnte sagen, er hat sie fast selbst arrangiert."

„Ich kann nicht behaupten, dass ich dagegen bin. Ein amerikanischer Ex-Geheimdienstler ... du hast ja selbst immer gesagt, dass du nicht unbedingt standesgemäß heiraten willst."

Über Gabriellas Gesicht huschte ein Lächeln. „Ganz offensichtlich habe ich das auch so gemeint."

„Brie, ich weiß, dass du sehr beschäftigt bist. Ich habe dich nur angerufen, um mich und Eve für ein paar Tage selbst einzuladen."

„Du weißt, ihr seid immer gern gesehene Gäste", sagte Gabriella automatisch, obwohl ihr alle möglichen Gedanken durch den Kopf schossen. „Du kommst zum Ball. Wirst du etwas länger bleiben?"

„Das habe ich vor. Ich hoffe, du hast nichts dagegen, dass ich Eve mitschleppe. Wir werden am Tage vor dem Ball kommen. Ich kann dir behilflich sein und so auch deinen Verlobten kennen lernen. Übrigens, wie fühlst du dich als Verliebte?"

„Kein ..." Gabriella sah auf den Ring und dachte an das, was sie bei seinem Anblick, seiner Berührung empfand. „Kein unbedingt sehr bequemes Gefühl."

Wieder lachte Chris. „Dachtest du etwa, es wäre anders? Pass auf dich auf, Liebes. Wir sehen uns bald."

„Auf Wiedersehen, Chris."

Nachdem sie aufgelegt hatte, blieb Gabriella einen Moment lang still sitzen. Es war ihr gelungen, Christina Hamilton in Sicherheit zu wiegen. Die Freundin hatte keinen Verdacht geschöpft. Gabriella war fröhlich und locker gewesen. Welch ein Betrug!

Wütend warf sie ihre Notizen zu Boden, so dass sie alle durcheinander warf. Sie starrte die Papiere noch immer an, als es diskret an ihrer Tür klopfte.

Gabriella beschloss, die Zettel liegen zu lassen. „Ja, bitte, herein."

„Entschuldigen Sie bitte, Eure Hoheit." Janet betrat mit dem ihr eigenen geschäftigen Gebaren das Wohnzimmer. „Ich dachte, es würde Sie interessieren, zu wissen, dass im Ballsaal alles in Ordnung ist. Auch die Dekorationen werden jetzt aufgehängt." Obwohl sie die auf die Erde verstreuten Papiere sah, enthielt sie sich jeglichen Kommentares. „Haben Sie Ihren Anruf bekommen?"

„Ja. Ich habe mit Miss Hamilton gesprochen. Sie können meinem Vater gern ausrichten, dass sie keinen Argwohn hegt."

Janet hielt ihre Hände gefaltet. „Ich bitte um Verzeihung, Eure Hoheit?"

„Wollen Sie mir etwa weismachen, dass Sie meinem Vater keinen Bericht erstatten?" meinte Gabriella etwas bissig. Sie erhob sich und fühlte abwechselnd Schuld und Verzweiflung. „Ich bin mir völlig darüber im Klaren, wie sehr Sie mich beobachten, Janet."

„Unsere einzige Sorge ist Ihr Wohlergehen", antwortete Janet tonlos. „Falls ich Sie gekränkt haben sollte ..."

„Der Vorwand, unter dem sie gekommen sind, ist beleidigend", zischte Gabriella. „Das Ganze überhaupt."

„Ich weiß, Eure Königliche Hoheit müssen sich fühlen, als ..."

„Sie wissen überhaupt nicht, wie ich mich fühle", unterbrach Gabriella die Sekretärin und wirbelte herum. „Wie könnten Sie? Erinnern Sie sich an Ihren Vater, Bruder, an Ihre engsten Freunde?"

„Eure Königliche Hoheit ..." Janet trat näher an Gabriella heran. Mit dieser Art Temperamentsausbruch und Laune der Prinzessin musste man vorsichtig umgehen. „Vielleicht versteht keiner von uns allen wirklich Ihre Lage, aber das heißt doch nicht, dass wir uns keine Sorgen machen. Wenn ich Ihnen nur helfen könnte!"

„Nein, nein danke." Viel ruhiger drehte Gabriella sich um. „Es tut mir Leid, Janet. Ich hätte Sie nicht anfahren dürfen."

Janets Lächeln war dünn. „Aber Sie mussten sich bei jemandem abreagieren. Ich hoffe ... Das heißt, ich dachte, dass Sie sich vielleicht nach dem Gespräch mit einer alten Freundin an etwas erinnern könnten.

„Nichts. Manchmal frage ich mich, ob es mir überhaupt je gelingen wird."

„Aber die Ärzte haben die Hoffnung doch nicht aufgegeben."

„Ärzte. Sie raten mir immer nur zur Geduld!" Mit einem Seufzer wandte sie sich einer Vase zu und zupfte an den Blumen. „Wie kann ich Geduld aufbringen, wenn ich immer nur Erinnerungsfragmente habe, wer ich bin und was mit mir geschehen ist!"

„Aber Sie haben Erinnerungsfetzen?" Wieder trat Janet einen Schritt näher. Zögernd legte sie Gabriella ihre Hand auf den Arm. „Sie können sich an Kleinigkeiten erinnern?"

„Nein, nur Eindrücke. Überhaupt nichts Konkretes." Die Erinnerung an das Messer hatte Substanz, aber sie war zu schrecklich, um ihr zu lange nachzuhängen. Sie brauchte etwas, das ihr Verstand annehmen und sie beruhigen konnte.

„Aber aus Steinchen formt sich letztendlich ein Ganzes, nicht wahr, Janet?"

„Ich bin kein Arzt, aber vielleicht sollten Sie sich mit dem begnügen, was Sie jetzt schon erreicht haben."

„Dass mein Leben vor weniger als einem Monat begonnen hat?" Gabriella schüttelte den Kopf. „Nein, das kann und will ich nicht. Ich will endlich den ersten Stein finden."

Ein Stockwerk höher saß Alexander in seinem geräumigen, in kühlen Farben gehaltenen Büro und betrachtete Reeve. Er hatte dieses Gespräch sorgfältig vorbereitet.

„Ich weiß es zu würdigen, dass Sie mir ein wenig Ihrer kostbaren Zeit opfern, Reeve."

„Ich bin sicher, Sie halten es für wichtig, Alex."

„Gabriella ist wichtig."

Reeve nickte langsam. „Für jeden von uns."

Mit dieser Antwort hatte Alex nicht unbedingt gerechnet, aber er ließ sich nicht aus dem Konzept bringen. „Ich schätze sehr, was Sie für uns tun, Reeve, aber andererseits meine ich, dass mein Vater eine alte Freundschaft zu stark beansprucht. Ihre Rolle wird von Tag zu Tag delikater."

Reeve lehnte sich zurück. Obwohl fast zehn Jahre Altersunterschied zwischen ihnen lagen, hatte Reeve nicht das Gefühl, einem jüngeren gegenüber zu sitzen. Alexander war reifer als die meisten seines Alters. Reeve überlegte, welche Taktik jetzt angebracht war und entschied sich für den Angriff. „Beunruhigt Sie die Möglichkeit, dass ich Ihr Schwager werden könnte, Alex?"

Der Prinz ließ sich nicht anmerken, ob er verärgert war. „Wir wissen beide, welches Spiel gespielt wird. Meine Sorge gilt Gabriella. Momentan ist sie sehr leicht zu verletzen. Da Sie dem Wunsch meines Vaters zufolge Gabriella jetzt näher stehen als ihre eigene Familie, sind Sie in der Lage zu beobachten und Ratschläge zu erteilen."

„Und es beunruhigt Sie, dass ich Dinge, die mich nichts angehen, beobachten und unangebrachte Ratschläge geben könnte!"

Alexander breitete die Hände auf dem Schreibtisch aus. „Ich sehe, warum mein Vater Hochachtung vor Ihnen empfindet, Reeve. Und ich glaube zu verstehen, warum Brie Ihnen vertraut."

„Aber Sie vertrauen mir nicht."

„Doch, eigentlich schon!" Er war selbstsicher. Ein Mann in Alexanders Position konnte sich Unsicherheit auch keinesfalls erlauben. Er machte dennoch eine kleine Pause, um gewiss zu sein, die richtigen Worte, den richtigen Ton zu wählen. „Soweit Bries Sicherheit betroffen ist, bin ich davon überzeugt, dass sie in guten Händen ist. Andererseits ..." Er sah Reeve direkt in die Augen. Reeve hielt seinem Blick stand. „Sonst würde ich dafür Sorge tragen, dass man Sie entweder sorgfältig im Auge behielte oder sich von Ihnen trennte."

„Das ist nur verständlich!" Reeve nahm sich eine

Zigarette und bot auch Alexander eine an. Der lehnte dankend ab. „Meine Stellung als Leibwächter beunruhigt Sie also nicht, aber Sie machen sich Sorgen über eine persönliche Beziehung?"

„Sie wissen sehr wohl, dass ich gegen Ihre Verlobung mit meiner Schwester gewesen bin. Nein, geben wir der Wahrheit die Ehre, ich habe versucht, diesen Schritt zu verhindern."

„Ich weiß, dass Sie und Loubet Ihre Zweifel hatten."

„Ich mag meine Meinung nicht mit der von Loubet verglichen sehen", murrte Alexander. Dann sah er Reeve mit einem breiten, offenen Lächeln an. „Mein Vater ist der Ansicht, dass Loubets Talente und Erfahrungen als Staatsminister eine ganze Reihe seiner überholten Vorstellungen aufwiegen."

„Dann ist da noch die Tatsache, dass Loubet hinkt." Alexander sah ihn verständnislos an. Reeve blies den Rauch seiner Zigarette genüsslich aus und fuhr fort: „Alex, wir kennen die Geschichte unserer beiden Familien. Mein Vater saß mit Loubet und dem Fürsten in dem Wagen, als sie vor fast fünfunddreißig Jahren diesen Unfall hatten. Ihr Vater brach sich den Arm, meiner hatte eine leichte Gehirnerschütterung. Aber Loubet wurde unglücklicherweise viel schlimmer verletzt!"

„Dieser Unfall hat nichts mit Loubets heutiger Position zu tun."

„Nein, das glaube ich auch nicht. Ihr Vater regelt Dinge nicht auf diese Weise. Aber vielleicht ist er deswegen ein wenig duldsamer. Schließlich saß Ihr Vater am Steuer. Ein bestimmtes Maß an Gewissensbissen ist doch nur menschlich. In jedem Fall soll damit nur deutlich gemacht werden, dass unsere Familien in bestimmter Weise verbunden sind. Alte Freundschaften, alte Bindungen. Nur deswegen wurde meine Verlobung mit Ihrer Schwester so leicht akzeptiert."

„Waren Sie denn so einfach damit einverstanden?"

Jetzt zögerte Reeve. „Alex, wollen Sie eine diplomatische Antwort hören oder die Wahrheit?"

„Die Wahrheit."

„Es war keine einfache Entscheidung für mich, einer falschen Verlobung mit Gabriella zuzustimmen. Es fällt mir auch nicht leicht, meine Rolle als ihr Verlobter zu spielen oder meinen Ring an ihrem Finger zu sehen. Es ist aus dem einfachen Grund nicht leicht", setzte Reeve langsam hinzu, „weil ich mich in sie verliebt habe."

Alexander antwortete nicht und gab auch kein Anzeichen der Überraschung von sich. Langsam strich er mit dem Finger über ein silbergerahmtes Bild, aus dem ihm seine Schwester entgegenlächelte. „Und was wollen Sie jetzt tun?"

Reeve runzelte die Stirn. „Ist es nicht Sache Ihres Vaters, das zu fragen?"

„Sie haben es nicht meinem Vater erzählt."

„Nein." Langsam und betont drückte Reeve seine Zigarette aus. „Ich habe nicht vor, irgendetwas zu tun. Ich bin mir meiner Verantwortung und meiner Grenzen hinsichtlich Ihrer Schwester sehr wohl bewusst."

„Gut." Geistesabwesend spielte Alexander mit einem Kugelschreiber. Er hatte den Eindruck, Reeve MacGee längst nicht so gut zu kennen, wie er gedacht hatte. „Und welcher Art sind Bries Gefühle?"

„Das ist Bries Angelegenheit. Zum jetzigen Zeitpunkt muss man ihr Leben nicht noch mehr komplizieren. Sobald sie sich wieder erinnern kann, wird sie mich nicht mehr benötigen."

„So einfach ist das?"

„Ich bin Realist. Welche Beziehung sich auch immer zwischen Brie und mir im Augenblick entwickeln mag, sie wird sich in dem Moment ändern, wo sie ihr Gedächtnis wiedergefunden hat."

„Und doch wollen Sie ihr helfen, das zu erreichen."

„Sie muss es wiederfinden", antwortete Reeve schlicht. „Sie leidet."

Alex sah die Fotografie wieder an. „Ich weiß es."

„Wirklich? Wissen Sie, wie schuldig sie sich fühlt, weil sie sich der Menschen nicht erinnert, die auf ihre

Zuneigung warten? Wissen Sie, welche Ängste sie aussteht, wenn sie wieder einen der Träume hat, die sie an den Rand der Erinnerung bringen und sie dann doch wieder im Ungewissen lassen?"

„Nein." Alexander ließ den Kugelschreiber fallen. „Brie vertraut sich mir nicht an. Ich glaube, ich begreife jetzt, warum. Und ich verstehe jetzt auch, warum mein Vater so großes Vertrauen zu Ihnen hat." Alexander fühlte sich plötzlich hilflos und unzufrieden. „Sie hat Träume?"

„Sie erinnert sich an Dunkelheit, an Stimmen und an ihre Angst." Reeve fiel der Traum mit dem Messer ein, aber er verlor kein Wort darüber. Das sollte Gabriella selbst erzählen.

„Es ist nicht viel mehr als das."

„Jetzt begreife ich eine Menge mehr." Wieder sah Alexander Reeve direkt an. „Sie haben das Recht, meine Fragen abzulehnen, Reeve, aber ich habe das Recht sie zu stellen."

„Wir sind in beiden Punkten einer Meinung." Reeve stand auf und beendete so das Gespräch. „Erinnern Sie sich stets daran, Alexander, dass ich alles in meinen Kräften Stehende tun werde, um die Sicherheit Ihrer Schwester zu gewährleisten."

Alex erhob sich und trat vor Reeve hin. „Auch darüber sind wir beide einer Ansicht."

Es war schon spät, als Reeve eine heiße, wohltuende Dusche nahm. Er hatte den Abend damit verbracht, Gabriella zu einer Einladung zu begleiten, bei der man sie mit Fragen wegen der Hochzeit bestürmt hatte. Wann sollte sie sein, wo, wer wäre anwesend? Wie viele Gäste, wie schnell, wie bald?

Wenn Gabriellas Lage sich nach dem Ball nicht entscheidend gebessert haben sollte, würde es schwer sein, die Vorbereitungen für die Hochzeit noch länger als Vorwand für mangelnde Pläne zu nehmen.

Jetzt brauchen wir unbedingt ein fiktives Hochzeitsdatum, dachte Reeve, und ließ sich das Wasser über Kopf und Rücken laufen. Wenn sich die Situation nicht bald ändern würde, dann stünden sie prompt vor dem Altar, nur um die Klatschbasen zum Schweigen zu bringen.

Etwas Unsinnigeres könnte gar nicht passieren! Eine Heirat, nur um den Gerüchten Einhalt zu gebieten. Doch konnte diese Situation noch schwieriger werden als die, in der sie sich momentan befanden?

Reeve hatte das ganze Essen an ihrer Seite überstehen müssen, und jeder hatte ihm zu seinem Glück gratuliert. Er hatte direkt neben ihr gesessen und wurde dabei ständig daran erinnert, wie sie beide ganz allein auf dem Boot in der kleinen Kajüte gewesen waren.

Das Schlimme war, dass er sich viel zu genau erinnerte, an alle Einzelheiten. Aus diesem Grund hatte er seither darauf geachtet, dass sich keine Gelegenheit mehr ergab, bei der sie ganz allein und ungestört waren.

Keiner von uns beiden könnte sich das erlauben, dachte Reeve und verließ die Dusche. Damit hatte keiner rechnen können, dass er die Regeln außer Acht lassen und sich in Gabriella verlieben könnte. Er hatte eine noch ungelöste Aufgabe vor sich, und Gabriella musste erst noch ein ganzes Leben wieder entdecken. Wenn beides einmal erreicht war, dann würden die Verbindungen gelöst werden.

Und so soll es auch sein, dachte er. Gabriella gehörte nicht in die Umgebung eines kleinen Farmhauses in den Bergen, er hingegen nicht in die vornehme Welt eines Palastes. So einfach war das.

Gabriella saß in einem Sessel und blätterte ein Buch durch. Schwaches Licht fiel ihr über die Schultern, und sie wirkte gleichzeitig nervös und doch entschlossen. Es gelang ihr, ihre Unruhe zu überspielen.

Sie sah auf und meinte: „Ich glaube, ich habe Steinbeck immer gern gelesen." Sie legte das Buch zur Seite und stand auf. Ihr einfaches weißes Kleid war langärmelig und umspielte in weichen Falten ihre grazile Figur. Das Haar fiel ihr lose auf die Schultern. Sie wirkte sehr zart und zerbrechlich.

Reeve rührte sich nicht. Er war fasziniert von ihrem Anblick. „Wolltest du dir ein Buch ausleihen?"

„Nein." Gabriella machte einen Schritt auf ihn zu. „Du wolltest nicht zu mir kommen, deshalb beschloss ich, zu dir zu gehen." Sie nahm seine Hände, als könne sie aus dieser Berührung Vertrauen und Sicherheit ziehen. „Du kannst mich nicht fortschicken. Ich werde hier bleiben."

„Nein, natürlich konnte er sie nicht wegschicken, auch wenn ihm die Vernunft etwas anderes riet.

„Willst du beweisen, dass du die Stärkere bist?"

„Nur, wenn es nötig sein sollte!" Gabriella nahm eine seiner Hände und legte sie an ihre Wange. „Sag mir, dass du mich nicht willst. Vielleicht werde ich dich dann hassen, aber ich werde mich zumindest nicht mehr lächerlich machen."

Reeve wusste, dass er sie jetzt belügen konnte. Diese Lüge würde sogar gut für Gabriella sein, aber sie kam nicht mehr über seine Lippen. „Ich kann dir nicht sagen, dass ich dich nicht will. Ich bezweifle, dass ich dazu in der Lage wäre, selbst wenn ich es wollte. Wahrscheinlich bin ich es, der sich lächerlich macht."

Lächelnd schlang sie die Arme um seinen Hals. „Halte mich, umarme mich." Sie schloss die Augen und legte ihre Wange an seine Schulter. Hier bei ihm hatte sie sein wollen. „Dieses Warten hat mich fast verrückt gemacht. Die Ungewissheit hat mich heute Abend beinahe die Nerven verlieren lassen, als ich zu dir kam."

„Nun, es schickt sich eigentlich auch nicht für eine Prinzessin, mich mitten in der Nacht in meinem Zimmer zu besuchen."

Lachend warf Gabriella den Kopf in den Nacken. „Nein, natürlich nicht. Lass uns das Beste aus dieser Situation machen."

Fest schloss sie die Arme um seinen Hals und presste ihren Mund auf seine Lippen. Wie sehr hatte sie sich nach diesem Kuss gesehnt! Und sie übertrug ihre ganze Sehnsucht mit diesem Kuss auf Reeve. Wenn sie nur heute Nacht bei ihm bliebe, dann wäre ihr alles andere gleichgültig. Dann würde sie auch am nächsten Morgen wieder die Kraft haben, einen neuen Tag erfolgreich durchzustehen.

„Reeve." Sie sah ihn eindringlich an. „Heute Nacht wollen wir auf jede Art von Lüge und Verstellung verzichten." Wieder hob sie seine Hand hoch und küsste ihn auf die Fingerspitzen. „Ich brauche dich. Ist das nicht genug?"

„Das ist genug. Ich will es dir beweisen." Langsam löste er den Gürtel ihres Kleides.

Durch die offenen Fenster fiel das Dämmerlicht. Der starke Duft der Bougainvillea, die sich an der Mauer hochrankte, drang zu ihnen herein. Gabriella ließ ihr Kleid zu Boden gleiten und zitterte leicht vor Erregung.

„Du bist wundervoll, Brie." Reeve streichelte ihre bloßen Schultern. „Jedes Mal wenn ich dich sehe, kommt es mir wie das erste Mal vor."

Reeve streichelte ihr das Haar aus dem Gesicht und nahm ihren Kopf in beide Hände. Lange standen sie so voreinander und sahen sich in die Augen, bis Gabriella vor Aufregung ihren eigenen Herzschlag spürte.

Reeve bedeckte ihr Gesicht mit Küssen, zart fühlend, hingebungsvoll. Er liebkoste mit seinen Lippen ihren Hals, ihre Wange, die Stirn und die Augen. Brie war jetzt bei ihm, sie war von selbst zu ihm gekommen. Nun sollte sie seine ganze Zärtlichkeit fühlen.

Er hob sie mit seinen starken Armen hoch. Überrascht öffnete Gabriella die Augen, als er sie zu dem großen Bett hinübertrug.

Dann lagen sie nackt in den weichen Kissen. Er führte ihre Finger an seine Lippen und küsste jeden einzelnen voller Liebe. Gabriella hob die Arme zu ihm hin, und von den Händen abwärts bedeckte Reeve sie mit Liebkosungen. Im Gegensatz zum ersten Mal fanden sie sich jetzt nicht in einem spontanen Rausch der Empfindungen, sondern entdeckten ihre Körper Zentimeter für Zentimeter, forschend und behutsam.

Gabriella hatte gedacht, Reeve habe ihr bereits jeden Reiz vermittelt, dessen ihr Körper fähig war, doch jetzt empfand sie unter seiner Berührung völlig andere, noch intensivere Gefühle.

Sie spürte seine Unruhe, sein großes Verlangen nach ihr. Beim ersten Mal hatte sie seinen Sturm der Gefühle förmlich herbeigesehnt und herausgefordert. In dieser Nacht war jedoch alles anders, viel zärtlicher, langsamer. Sie schmiegten sich aneinander, Wange an Wange, Hand in Hand und genossen ihre stille, einfühlsame Liebe.

Reeve streichelte Gabriella mit Absicht ruhig und ausgiebig. Mit den Lippen berührte er ihren Hals, die sanfte Rundung ihrer Brust suchte den Weg abwärts zu ihren schmalen Hüften. Sie hatte den zerbrechlichen Körper einer Frau, die ihr Leben in Luxus und Geborgenheit verbrachte.

Reeve wusste jedoch, dass der Verstand, der zu diesem Körper gehörte, nichts als gegeben betrachtete, dass für ihn nichts selbstverständlich war. Liebte Reeve sie dieser Einstellung wegen?

Gabriella seufzte vor Wohlbehagen. Ihre Haut brannte unter seinen Küssen. Sie wurde von Reizen durchflutet, die sie noch nie zuvor empfunden hatte.

Mit der Zungenspitze erforschte er jede Stelle ihres glühenden Körpers, suchte, spielte, liebkoste und verwöhnte ihn. Dann kam der Moment da das Verlangen unerträglich wurde. Die Sehnsucht, sich mit ihm zu vereinen, war stärker als alles andere. Sie wollte seine Kraft in sich spüren, sich von seiner Leidenschaft forttragen lassen. Sie wollte eins mit ihm werden in einer sich erfüllenden Umarmung.

Ihr Atem ging heftig, das Herz hämmerte ihr bis zum Hals, und plötzlich wurde Gabriella vom Strudel seiner Begierde fortgerissen. Sie ließ es zu, ließ sich davontragen in eine ihr unbekannte Welt beiderseitigem Begehrens und unendlicher Sehnsucht.

### 9. Kapitel

Gabriella war klar, dass sie die Nacht nicht bei Reeve hätte verbringen dürfen, aber sie wollte bei ihm sein, an seiner Seite einschlafen, selbst wenn es nur für wenige Stunden sein sollte.

Es fiel ihr leicht, in der dunklen, stillen Nacht nicht an die notwendige Diskretion zu denken. Sie nahm sich, wozu Liebende ein Recht haben. Wie herrlich war es doch, neben Reeve zu liegen und im Schlaf seine Hand zu halten. Diese wenigen Stunden waren mögliche Verwicklungen am nächsten Morgen wert.

Reeve wachte als Erster auf und weckte sie noch kurz vor dem Morgengrauen. Gabriella spürte den zarten Kuss auf ihrer Schulter, aber sie seufzte nur wohlig auf und kuschelte sich noch enger an ihn. Ein leiser Schauer überlief sie, als er sanft an ihrem Ohrläppchen zog.

„Brie, die Sonne geht auf."

„Hm. Küss mich!"

Reeve küsste sie so lange, bis er sicher war, dass sie munter war: „Die Diener werden bald aufstehen und ihren Dienst antreten", sagte er. Gabriella öffnete ihre Augen ein wenig. „Du solltest dann nicht mehr hier sein", riet er.

„Machst du dir schon wieder Sorgen um deinen Ruf?" Sie gähnte und umarmte ihn spontan.

Reeve lächelte und legte genießerisch die Hand auf ihre Brust. Wenn er und Brie zusammen waren, fühlte er sich völlig ausgeglichen und im Einklang mit sich selbst. „Natürlich."

Mit sich zufrieden, wickelte sie eine Strähne seines Haares um ihren Finger. „Ich habe dich wahrscheinlich kompromittiert."

„Du warst es doch, die zu mir in mein Zimmer gekommen ist. Wie hätte ich eine Prinzessin abweisen können?"

Gabriella drückte ihm einen Kuss auf die Stirn.

„Sehr klug. Wenn ich ..." Nachdenklich fuhr sie sich mit der Zunge über die Lippen. „Wenn ich dir also befehlen würde, mich jetzt gleich noch einmal zu lieben ..."

„... dann würde ich dich schleunigst aus dem Bett befördern." Er verhinderte ihren Protest mit einem Kuss. „Eure Königliche Hoheit."

„Sehr schön", antwortete Gabriella leichthin und rollte sich zur Seite. Sie stand auf, räkelte sich und schüttelte ihr Haar zurecht. „Da du mich so schnell loswerden willst, kannst du das nächste Mal ja zu mir kommen." Sie bückte sich nach ihrem Kleid und streifte es über. „Das heißt wenn du verhindern möchtest, in einer der dunklen, feuchten Kerkerzellen zu landen."

Reeve sah ihr beim Anziehen zu. „Erpressung?"

„Ich bin gewissenlos." Sie zog den Reißverschluss auf dem Rücken zu und legte den Gürtel um ihre schmale Taille.

„Brie ..." Reeve setzte sich auf und fuhr sich mit der Hand durchs Haar. „Alexander und ich hatten gestern ein langes Gespräch."

Gabriella hantierte weiter an dem Gürtel herum. Reeve sollte ihre plötzliche Nervosität nicht bemerken. „So? Über mich, nehme ich an."

„Ja, über dich."

„Und?" fragte sie ein wenig schnippisch.

„Dieser hochmütige Ton zieht bei mir nicht, Brie. Das solltest du jetzt eigentlich wissen."

„Was dann?"

„Ehrlichkeit."

Gabriella sah ihn an und seufzte. Mit dieser Antwort hätte sie rechnen müssen. „Nun gut. Auch ich hatte gestern mit Alex ein Gespräch, vielmehr einen Streit. Ich kann nicht behaupten, dass ich es gern habe, wenn ihr zwei über mich und mein Leben redet."

„Er macht sich Sorgen ebenso wie ich."

„Ist das eigentlich für alles eine Erklärung?"

„Das ist der Grund für alles."

Gabriella atmete hörbar schwer. „Es tut mir Leid, Reeve. Ich will nicht ungerecht sein, auch wenn es vielleicht so aussehen mag. Ja, sogar undankbar. Ich habe nur den Eindruck, dass bei aller Besorgnis um meine Person jeder an mich irgendwelche Forderungen stellt." Während sie sprach, ging sie langsam zum Fenster und wieder zurück, als müsse sie an diesem Morgen erst wieder zu sich finden. „Man verlangt von mir, Loubets Plan zu befolgen, den Gedächtnisschwund so zu überspielen, dass niemand in Panik gerät und die Untersuchung im Stillen fortgeführt werden kann. Man verlangt von uns beiden, diese falsche Verlobung durchzustehen. Ich glaube, es ist das, was mich am meisten belastet."

„Aha."

Sie sah ihn ernst an. „Ich frage mich, ob du das verstehst", murmelte sie. „Auf der einen Seite überhäuft man mich mit Besorgnis und Zuneigung, auf der anderen gibt es unendlich viele Verpflichtungen."

„Möchtest du lieber etwas anderes tun? Sollte es anders gehandhabt werden?"

„Nein!" Gabriella schüttelte den Kopf. „Nein. Zu welchen Ergebnis ist denn Alexander gekommen?"

„Er hat beschlossen, mir zu vertrauen. Und du?"

Sie sah ihn überrascht an, dann erst wurde ihr klar, wie missverständlich ihr Ton gewesen war. „Du weißt dass ich dir vertraue. Ich wäre nicht hier bei dir, wenn es anders wäre."

Manchmal war es das Beste, einen Gedanken sofort in die Tat umzusetzen, deshalb fragte Reeve: „Kannst du dir heute freinehmen und mit mir kommen?"

„Ja."

„Keine Fragen?"

Gabriella zuckte die Achseln. „Nun schön, wenn du unbedingt willst. Wohin?"

„Zu dem kleinen Stück Land." Er erwartete eine besondere Reaktion, aber Gabriella sah ihn nur an. „Ich halte es für an der Zeit, dass wir jetzt zusammenarbeiten."

Gabriella schloss einen Moment lang die Augen, dann ging sie zum Bett herüber. „Danke."

Reeve fühlte den Widerstreit der Gefühle in sich. Aber das würde bei Gabriella und ihm wohl immer so sein. Vielleicht bist du mir hinterher gar nicht mehr dankbar."

„Oh doch, das werde ich." Sie neigte sich zu ihm und gab ihm einen freundschaftlichen, ganz leidenschaftslosen Kuss. „Egal was passiert."

Die Gänge lagen im Dämmerlicht, als Gabriella Reeves Zimmer verließ und zu ihren Räumen schlich. Jetzt fühlte sie sich frisch und hoffnungsvoll. An diesem Tag würde sie keine der auf sie wartenden Pflichten wahrnehmen. Sie wollte versuchen, die Vergangenheit mit der Gegenwart zusammenzubringen. Der Schlüssel dazu war vielleicht wirklich die kleine Farm. Und mit Reeves Hilfe würde sie ihn möglicherweise finden.

Leise öffnete Gabriella die Tür ihres Schlafzimmers. Sie war voller Tatendrang. Munter summte sie vor sich hin, als sie die Vorhänge zur Seite zog, um Licht hereinzulassen.

„Soso."

Erschrocken fuhr sie herum.

„Nanny!"

Die alte Frau setzte sich im Sessel auf und warf Gabriella einen langen fragenden Blick zu. Kein Zeichen von Müdigkeit war ihr anzumerken. Gabriella spürte die Missbilligung und auch die Nachsicht, die von ihr ausging, und das Blut schoss ihr in die Wangen.

„Du hast allen Grund, rot zu werden, wenn du so am frühen Morgen auf Zehenspitzen in dein Zimmer schleichst."

„Bist du die ganze Nacht hier gewesen?"

„Ja, ganz im Gegensatz zu dir." Mit ihren langen, knorrigen Fingern klopfte Nanny gegen die Armlehne des Sessels. Die Veränderung in Gabriellas Gesicht war unübersehbar, aber sie hatte sie schon an dem Tag bemerkt als Gabriella vom Segeln zurückgekommen war. Selbst eine alte Frau blieb dennoch eine Frau. „Du hast jetzt also einen Liebhaber. Sag mir, bist du glücklich?

Trotzig reckte Gabriella das Kinn und war selbst überrascht, dass sie so reagierte. „Ja."

Nanny betrachtete sie, das zerzauste Haar, die geröteten Wangen und der Blick, aus dem noch immer die erlebte Leidenschaft sprach. „So sollte es auch sein", meinte sie ruhig. „Du hast dich verliebt."

Gabriella wollte es im ersten Moment leugnen. Die Worte lagen ihr schon auf der Zunge, aber sie wusste, dass es eine Lüge sein würde. Noch eine Lüge mehr. „Ja, ich bin verliebt!"

„Dann rate ich dir, vorsichtig zu sein." Im fahlen Morgenlicht sah Nannys Gesicht alt und bleich aus, aber ihre Augen zeigten noch immer jugendliches Feuer. „Wenn eine Frau in einen Mann verliebt ist, dann riskiert sie mehr als nur ihren Körper oder ihre Zeit. Verstehst du mich?"

„Ja, ich denke schon." Gabriella lächelte und hockte sich vor Nanny hin. „Warum hast du die ganze Nacht in diesem Stuhl und nicht in deinem Bett zugebracht?"

„Du hast vielleicht einen Liebhaber, aber ich kümmere mich dennoch weiterhin um dich. Ich hatte dir deine warme Milch gebracht, weil du doch nicht gut schläfst."

Gabriella sah die Tasse auf dem Tisch stehen. „Und ich habe dich beunruhigt, weil ich nicht hier war." Sie legte Nannys Hand gegen ihre Wange. „Das tut mir Leid, Nanny."

„Ich habe mir gedacht, dass du bei dem Amerikaner sein würdest." Sie schnaubte leicht durch die Nase. Nur schade, dass sein Blut nicht so blau wie seine Augen ist, allerdings hättest du es schlechter treffen können."

Der Diamant wog schwer an Gabriellas Finger. „Bis jetzt ist es nur ein Traum, nicht wahr?"

„Du träumst viel zu wenig", versetzte Nanny knapp. „Deshalb hatte ich dir die Milch gebracht nur um dann festzustellen, dass du offensichtlich eine andere Art von Trost brauchst!"

Jetzt musste Gabriella lachen. „Bist du mir böse, wenn ich dir gestehe, dass ich es so besser fand?"

„Ich rate dir nur, deine Neigungen noch eine Weile vor deinem Vater geheim zu halten." In Nannys Stimme schwang ein belustigter Unterton, und Gabriella lächelte sie an. „Vielleicht bist du ja jetzt nicht mehr auf das, was ich dir bringe, angewiesen." Sie griff neben sich und zog eine zerschlissene Stoffpuppe mit einem runden Gesicht hervor, die in einem zerrissenen Kleidchen steckte. „Als du noch ein Kind warst und nachts nicht schlafen konntest hast du immer danach gegriffen."

„Armes, hässliches, kleines Ding", flüsterte Gabriella und nahm die Puppe entgegen.

„Du hast sie ‚Henrietta Häuslich' genannt."

„Hoffentlich hatte sie nichts dagegen", meinte Gabriella und strich sanft über das Puppengesicht. Dann versteifte sie sich plötzlich und sagte nichts mehr.

Ein junges Mädchen in einem kleinen Bett. Seidene Bettwäsche mit einem zarten, rosafarbenen Blumendekor. Eine helle Tapete mit Vögeln und Rosenranken. Musik, die von weither erklingt, ein romantischer langsamer Walzer. Und eine Frau, die Frau, welche sie auf einem der Ahnenporträts in der Familiengalerie gesehen hatte. Sie lächelt, flüstert ihr zärtliche Worte zu, lachend lehnt sie sich über Bries Bett. Die Smaragde an ihren Ohren schimmern verlockend im schwachen Licht. Eine grüne, seidene Ballrobe, die ihrer Figur einen mädchenhaften Reiz verleiht. Ein schwacher Duft nach frischen Apfelblüten ...

„Gabriella!" Nanny legte ihr die Hand auf die Schulter. Die Haut unter dem dünnen Gewand war eiskalt. Gabriella."

„Mein Kinderzimmer, welche Farbe hatte es?"

„Es war weiß und hatte eine chinesische Tapete", antwortete Nanny zögernd.

„Und hatte meine Mutter ein seidenes, grünes Ballkleid?" fragte Gabriella und hielt unbewusst die Puppe fest umklammert. Ihr standen Schweißperlen auf der Stirn, sie merkte es aber nicht. Sie musste sich zwingen, sich zu erinnern, dann würden ihr die Dinge auch wieder einfallen. „Ja, das stimmt. Mit einer sehr engen Taille und einem großen Stufenrock. Es war smaragdgrün."

„Und sie roch nach frischen Apfelblüten, nicht wahr? Sie war wunderschön."

„Ja, richtig. Erinnerst du dich?" Nanny hielt Gabriella fest an der Schulter.

„Ich ... Sie kam in mein Zimmer. Ich hörte Musik, einen Walzer. Sie kam, um mir gute Nacht zu sagen."

„Das tat sie immer. Erst bei dir, dann bei Alexander, und zum Schluss ging sie zu Bennett. Wenn dein Vater die Zeit hatte, kam er auch herauf. Und bevor sie selbst schlafen gingen, warfen sie beide immer noch einen Blick in die Kinderzimmer. Ich werde jetzt deinen Vater holen."

„Nein." Gabriella presste die Puppe an ihr Herz. Das Bild war verflogen. Sie fühlte sich schwach und erschöpft. „Nein, jetzt noch nicht. An mehr erinnere ich mich nicht. Nur dieses Bild tauchte eben auf, aber mir fehlt noch so vieles andere. Nanny ..." In Gabriellas Augen standen Tränen. Ich weiß endlich, dass ich meine Mutter geliebt habe, jetzt fühle ich es wirklich. Und nun habe ich das Gefühl, als hätte ich sie ein zweites Mal verloren."

Sie lehnte den Kopf an Nannys Schulter und ließ den Tränen freien Lauf. Die alte Kinderfrau streichelte ihr beruhigend über das Haar.

„Du willst also wegfahren!"

Gabriella stand in der großen Halle und sah ihren Vater an. Sie hatte sorgfältig ihr Make-up aufgelegt, so dass alle Spuren von Tränen verdeckt waren. Nur ihre Nerven waren noch nicht wieder zur Ruhe gekommen. Zerstreut spielte sie mit dem Riemen ihrer Umhängetasche.

„Ja, ich habe Janet angewiesen, alle meine Termine abzusagen. Es war sowieso nichts Wichtiges dabei."

„Brie, du musst dich nicht vor mir rechtfertigen,

wenn du einmal einen Tag ausspannen möchtest." Fürst Armand war sich zwar nicht sicher, wie sie reagieren würde, aber er ergriff trotzdem ihre Hand. „Habe ich zu viel von dir verlangt?"

„Nein, ich glaube nicht." Sie schüttelte den Kopf.

„Noch nie war es schwieriger für mich als jetzt, gleichzeitig Regent und Vater zu sein. Wenn du den Wunsch hast, Gabriella, dann verreise ich mit dir ein paar Wochen. Vielleicht eine Kreuzfahrt, oder nur ein Ausflug in unser Haus auf Sardinien."

Gabriella brachte es nicht übers Herz, ihm zu sagen, dass sie das Haus auf Sardinien nicht kannte. So lächelte sie ihn an. „Das ist nicht notwendig. Dr. Franco hat dir bestimmt berichtet, dass ich sehr kräftig bin!"

„Aber Dr. Kijinsky teilte mir mit, dass du noch immer von Traumbildern heimgesucht wirst."

Gabriella atmete tief durch und versuchte, sich nicht darüber zu ärgern, dass sie dem Arzt schließlich doch alles erzählt hatte. „Manche Dinge brauchen halt länger, um zu heilen."

Armand versagte es sich, Gabriella darum zu bitten, sich ihm in der gleichen Weise mitzuteilen wie Reeve. Dazu musste sie innerlich bereit sein. Doch die Erinnerung an das Kind, das sich auf seinem Schoß gekuschelt hatte, den Kopf an seiner Schulter, und ihm seine Sorgen mitgeteilt hatte, konnte er nicht verdrängen.

„Du siehst müde aus", stellte er fest. „Die Landluft wird dir gut tun. Fährst du auf den kleinen Bauernhof?"

Gabriella hielt seinem Blick stand. Sie war nicht gewillt, sich von ihrem Vorhaben abbringen zu lassen. „Ja!"

Armand bemerkte ihre Entschlossenheit und respektierte sie. Sehr wohl fühlte er sich allerdings nicht dabei. „Wenn du wieder zurück bist, erzählst du mir dann alles, was dir vielleicht eingefallen ist, oder welche Empfindungen du dort hattest?"

Inzwischen war sie etwas ruhiger geworden. „Ja, natürlich." Sie machte einen Schritt auf ihn zu und küsste ihn leicht auf die Wange. Sie tat es für ihn und in der Erinnerung an die Frau im grünen Ballkleid, die ihr gute Nacht gesagt hatte. Mach dir um mich keine Sorgen. Reeve kommt mit mir."

Armand sah ihr nach, wie sie den endlos langen Gang hinunterging. Er war bemüht, sich nicht zurückgesetzt zu fühlen. Ein Diener öffnete ihr die Tür, und Gabriella trat hinaus in das helle Tageslicht.

Eine ganze Weile sagte Reeve kein Wort. Gemächlich fuhren sie die sich windende Küstenstraße bergauf und bergab. Er fühlte Gabriellas inneren Aufruhr, kannte allerdings die Ursache nicht. Aber er konnte warten.

Sie ließen die Stadt Cordina hinter sich und fuhren am Hafen Lebarre vorbei. Hier und da tauchte an den Seiten ein Bauernhaus auf, mit sorgfältig gepflegten Gärten in voller Blütenpracht. Diese Straße war sie in jener Nacht auf ihrer Flucht entlanggerannt. Gabriella bemühte sich, etwas wieder zu erkennen, alles nochmal zu durchleben.

Ihr kam jedoch nichts bekannt vor, auch nichts, was sie beängstigen könnte. Und doch war sie verkrampft. Nervös spielte sie mit dem Riemen ihrer Handtasche und nahm die idyllische, farbenprächtige Umgebung; die felsige, windzerzauste Landschaft kaum wahr.

„Möchtest du anhalten, Gabriella? Oder vielleicht lieber woanders hinfahren?"

Rasch drehte sie sich zu ihm hin, sah aber gleich wieder geradeaus. „Nein, natürlich nicht. Cordina ist ein hübscher Flecken Erde, nicht wahr?" Sie versuchte, ihrer Stimme einen lockeren Klang zu verleihen.

„Warum erzählst du mir nicht, was dich bedrückt?"

„Ich weiß nicht." Sie legte ihre Hände in den Schoß. „Ich fühle mich unsicher, so als ob ich mir selbst über die Schulter sähe."

Reeve hatte sich bereits entschlossen, ihr ohne Umschweife die notwendigen Antworten zu geben. „Vor einem Monat bist du während eines Sturmes diese Straße entlanggerannt."

Gabriella krampfte die Finger zusammen und streckte sie wieder aus. „Rannte ich in Richtung auf die Stadt oder von ihr fort?"

Er warf ihre einen Blick von der Seite zu. Auf diese Gedankenverbindung war er selbst noch nicht gekommen, und er bewunderte ihren scharfen Verstand. „Auf die Stadt zu. Du warst nicht mehr als drei Meilen von Lebarre entfernt, als du bewusstlos wurdest."

Gabriella nickte. „Dann hatte ich Glück, oder ich wusste noch so viel, um wenigstens den richtigen Weg zu nehmen. Reeve, heute Morgen ..."

„Was war da?" Er horchte auf und hielt das Lenkrad fester.

„Nanny hat in meinem Zimmer auf mich gewartet."

Sollte ihn das amüsieren oder erschrecken? Reeve konnte sich bei dem Bild, das vor seinem inneren Auge entstand, ein Lächeln nicht verkneifen. „Ja, und?"

„Wir haben uns unterhalten. Manchmal bringt sie mir abends heiße Milch. Daran habe ich gestern Nacht natürlich nicht gedacht." Auch Gabriella musste lächeln. „Außerdem brachte sie mir eine Puppe, die ich als Kind hatte." Langsam und entschlossen, keine Einzelheiten auszulassen, berichtete sie ihm jetzt, an was sie sich erinnert hatte. „Das war alles", endete sie schließlich. „Nur dass es diesmal kein Traum und kein flüchtiger Eindruck, sondern wirkliche Erinnerung war."

„Wem hast du das sonst noch erzählt?"

„Niemandem."

„Berichte es Dr. Kijinsky, wenn du ihn morgen siehst." Das klang fast wie ein Befehl. Gabriella hatte Mühe, sich nicht darüber zu ärgern, sondern Verständnis aufzubringen.

„Ja, natürlich. Hältst du es für einen Anfang?"

Während Gabriella gesprochen hatte, hatte Reeve die Geschwindigkeit vermindert. Jetzt beschleunigte er wieder. „Ich glaube, deine Kräfte kommen zurück. Mit dieser Erinnerung konntest du fertig werden. Vielleicht musste dir erst etwas Schönes einfallen, ehe du dich mit dem Rest auseinander setzen kannst."

„Und alles andere wird mir wieder einfallen."

„Ja. Dein Erinnerungsvermögen kommt wieder", pflichtete er bei.


Entsprechend den Erklärungen, die man Reeve gegeben hatte, verließ er die Küstenstraße und fuhr landeinwärts. Die Straße war hier nicht mehr so gut. Wieder verlangsamte er die Fahrt.

Es dauerte nicht lange, dann kamen sie in bewaldetes Gebiet. Das Rauschen des Meeres wurde schwächer. Die Landschaft war lieblicher, mit grünen, sanft geschwungenen Hügeln. Hin und wieder hörten sie das Bellen eines Hundes, sahen Kühe auf der Weide oder verscheuchten aufgeregtes Federvieh von der Straße. Reeve war, als wäre er auf dem Weg zu seinem eigenen Farmhaus.

Erneut bog er von der Straße ab und fuhr jetzt nur noch im Schritttempo. Der Weg bestand hier aus Steinen und Geröll. Zur Rechten lag ein grünes, wild bewachsenes Stück Land, auf der anderen Seite wuchsen zahlreiche Bäume.

„Sind wir da?"

„Ja." Reeve schaltete den Motor aus.

„Hat man meinen Wagen hier gefunden?"

„Genau."

Gabriella blieb einen Augenblick lang reglos sitzen. „Warum glaube ich bloß immer, es müsste ganz leicht sein? Jedes Mal denke ich, dass mir beim Anblick eines Gegenstandes alles wieder deutlich werden würde. Aber nie ist es so. Manchmal fühle ich jedoch das Messer in meiner Hand geradezu körperlich." Sie sah auf ihre Handfläche. „Ich spüre es wirklich, und dann weiß ich, dass ich in der Lage wäre, einen Menschen zu töten!"

„Unter entsprechenden Umständen geht uns das wohl allen so."

„Nein." Äußerlich ganz ruhig, faltete Gabriella ihre

Hände. Mit dieser inneren Qual musste sie alleine fertig werden, so hatte man es ihr anerzogen. „Das glaube ich nicht. Jemanden umzubringen setzt den Willen zur Gewalt voraus. Bei manchen Menschen ist er so stark, dass er alle anderen Instinkte verdrängt."

„Und was wäre mit dir geschehen, wenn du einfach nur die Augen zugemacht und jede Art von Gewalt abgelehnt hättest?" Fest nahm Reeve sie bei der Schulter und drehte sie zu sich herum. „Gesegnet seien die Duldsamen, Brie? Du weißt das doch besser."

Gabriella war nicht in der Lage, unter seinem Blick ihre Gefühle noch weiterzuverbergen. „Ich will in meinem Leben keine Gewalt", sagte sie leidenschaftlich. „Und ich will und werde die Tatsache nicht akzeptieren, dass ich jemanden getötet habe."

„Dann wirst du dich nie aus deiner Lage befreien können!" Reeves Ton war hart. „Du wirst immer in einer Traumwelt leben. Die kühle, unerreichbare, fremde Prinzessin im Schloss." Er lehnte sich in seinen Sitz zurück.

„Du sprichst zu mir von einer Traumwelt?" Jetzt bedrängte Reeve ihr Erinnerungsvermögen, und es spielte nun auch keine Rolle mehr, dass sie ihn einst darum gebeten hatte. Er drängte sie in eine dunkle, drohende Welt. „Du hast doch auch deine Illusionen", begehrte sie auf. „Du bist ein Mensch, der die Gefahr sucht, ihr ins Auge gesehen hat. Und jetzt gibst du vor, dich damit zu begnügen, auf deiner Veranda zu sitzen und zuzusehen, wie dein Getreide wächst."

Sie hatte Reeves wunden Punkt getroffen. Enttäuschung und Ärger stiegen in ihm auf und schwangen in seiner Stimme mit. Er hatte seine Träume, und Gabriella war ein Teil davon geworden. „Ich kenne wenigstens meine eigene Wirklichkeit und setze mich damit auseinander. Ich brauche meine Farm aus Gründen, die du nicht einmal willens bist zu verstehen. Ich brauche sie, weil ich weiß, wozu ich fähig bin, was ich getan habe und noch tun könnte."

„Ohne jedes Bedauern", provozierte Gabriella ihn.

„Ich pfeife darauf. Morgen kann alles anders sein. Ich habe wenigstens die Wahl!" Das jedenfalls redete er sich ein.

„Die hast du." Plötzlich fühlte sie sich müde und sah von ihm fort. Vielleicht unterscheiden wir beide uns darin. Wie kann ich mein Leben so führen, wie ich es muss, wenn ich weiß, dass ich ..."

„... menschlich fühle", unterbrach er sie. „Genau wie wir anderen auch."

„Du vereinfachst die Dinge."

„Willst du mir einreden, dass dein Titel dich über uns stellt?"

Ihr lag eine scharfe Bemerkung auf der Zunge, aber

218

sie atmete nur tief durch. „Du hast mich in die Ecke getrieben. Ich bin ein verängstigter Mensch. Aber mit meinen Schatten zu leben, erscheint mir das Schwierigste überhaupt."

„Willst du dich weiter damit auseinander setzen?"

„Ja." Sie öffnete die Wagentür und stieg aus.


Gabriella sah sich um und wünschte, sie wüsste, wo sie anfangen sollte. „Bist du früher schon hier gewesen?" wollte sie von Reeve wissen.

„Nein."

„Gut, dann ist es für uns beide das erste Mal." Sie hielt sich die Hand über die Augen. „Es ist sehr still hier. Ich frage mich, ob ich die Absicht hatte, dieses Land einmal anlegen zu lassen."

„Du hast davon gesprochen."

„Aber nichts dergleichen unternommen." Sie begann, langsam ein wenig herumzuschlendern. Es würde ein hartes Stück Arbeit werden, diese Erde zu bebauen.

„Warum habe ich dieses Land gekauft?"

„Du wolltest einen eigenen Besitz haben, wohin du dich zurückziehen konntest."

„Einen Zufluchtsort?"

„Nein, Ruhe und Einsamkeit", korrigierte er sie. „Das ist etwas anderes."

„Hierher gehört ein Haus", meinte sie plötzlich ungeduldig und beschrieb mit der Hand einen Kreis. „Hierher gehört Leben. Sieh einmal, wenn man aus dieser Gruppe ein paar Bäume auslichten würde, dann könnte man dort wundervoll ein Haus hinbauen, von dem aus man den ganzen Besitz überblicken könnte. Dazu gehören natürlich auch Ställe und Versorgungsbauten mit entsprechendem Weideland!"

Gabriella war von ihrem Gedanken selbst beeindruckt und ging begeistert weiter. „Direkt hier. Man sollte dieses Stück Land nicht so brachliegen lassen. Hierher gehören Kinder und kläffende, herumtollende Hunde. Ohne sie ist das Leben nur halb so schön."

Selbst Reeve konnte sich das Bild so ausmalen, wie sie es beschrieb. Genauso hatte er sich seine eigene Farm vorgestellt. „Soweit ich weiß, ist es kein ungeliebter Ort!"

„Aber man kümmert sich nicht darum. Ein so hübscher Flecken sollte nicht ungenutzt bleiben."

Neugierig ging Gabriella weiter durch das hohe Gras und stieß auf einmal mit dem Fuß gegen einen Gegenstand, der Reeve vor die Füße rollte. Er bückte sich und hob eine leere rote Thermoskanne auf, deren Verschlusskappe fehlte. Er fasste sie vorsichtig am unteren Ende an.

„In deinen Träumen warst du an einem stillen Ort und hast aus einer roten Thermosflasche Kaffee getrunken!"

Gabriella starrte die Flasche entsetzt an. „Ja", bestätigte sie leise.

„Und dann wurdest du schläfrig." Er roch an der Öffnung, und alle möglichen Überlegungen schossen ihm durch den Kopf. Wie gut war eigentlich das Polizeilabor von Cordina? Warum hatte man das Gelände hier nicht gründlicher untersucht? Wie konnte man ein so wichtiges Beweisstück nicht entdecken? Er musste die Antworten auf diese Fragen so schnell wie möglich finden.

Gabriella war von sich aus hier entlanggegangen, ohne dass er sie dazu angehalten hatte. Dann hatte sie ganz systematisch beschrieben, wo sie ihr Haus mit den Ställen bauen lassen würde. Wenn sie also genau hier schon einmal gesessen hatte ...

Reeve kniff die Augen zusammen und suchte die Gegend ab, bis sein Blick auf einen großen, glatten Felsen fiel. Er war nur wenige Schritte entfernt und lag so, dass die Sonne ihn vom späten Vormittag bis in den frühen Nachmittag hinein beschien. Für jemanden, der seinen eigenen Gedanken nachhängen wollte, genau der richtige Platz.

„Woran denkst du?" wollte Gabriella wissen.

Reeve sah wieder zu ihr hin. „Ich überlege gerade, dass du an diesem Felsen dort gesessen und deinen

Kaffee getrunken haben könntest. Du bist müde geworden und vielleicht sogar eingeschlafen. Doch dann hast du versucht, die Müdigkeit wieder abzuschütteln. Du hast mir erzählt, dass du in deinen Träumen versucht hast, wieder munter zu werden. Vielleicht gelang es dir also, aufzustehen und zu deinem Wagen zurückzustolpern."

Reeve drehte sich um und sah dorthin, wo sein eigenes Auto stand. „Doch dann wirkte die Droge, du brachst zusammen, und die Thermosflasche rollte zur Seite."

„Eine Droge ... im Kaffee?"

„Es passt zusammen. Derjenige, der dich entführt hat, war nervös und stand unter Zeitdruck. Er oder sie kümmerten sich nicht um die Thermosflasche. Warum auch? Sie hatten ja dich."

„Dann muss es jemand sein, der meine Gewohnheiten gut kennt, der vor allem wusste, dass ich an jenem Tag hierher fahren würde. Jemand, der ...

Sie verstummte und starrte auf die Thermosflasche.

„Jemand, der dir nahe steht", beendete Reeve den Satz für sie. Er hob die Flasche hoch. „Sehr nahe sogar!"

Ein leichtes Zittern überkam sie. Wieder verspürte sie den Drang, sich umzudrehen und weit, weit fortzurennen. Sie musste ihre ganze Beherrschung aufbringen, um ruhig stehen zu bleiben. „Was machen wir jetzt?"

„Jetzt werden wir erst einmal herausfinden, wer dir den Kaffee gemacht hat, und wer Gelegenheit hatte, dir etwas hineinzutun."

Brie fiel es schwer, zuzustimmen. „Reeve, hätte die Polizei das nicht herausfinden müssen?"

Er sah an ihr vorbei. „Das sollte man eigentlich annehmen, nicht wahr?"

Gabriella sah auf die Ringe an ihren Händen. Der Diamantring war ein Symbol für Treue, die Saphire für die Liebe. Mein Vater ..." begann sie, aber die Worte erstarben ihr auf den Lippen.

„Jetzt ist es höchste Zeit, dass wir mit ihm sprechen müssen."


Es war gefährlich für sie, sich zu treffen, doch jeder fuhr die lange, schlechte Straße hinunter zum Bauernhaus. Es wäre allerdings noch gefährlicher gewesen, sich jetzt nicht zu sehen.

Das Haus lag auf einem verwilderten Gelände, einsam und verborgen. Nie hatte sich jemand so recht darum gekümmert. Deshalb war es genau der richtige Treffpunkt. Es lag nahe genug an dem unbebauten Stück Land und weit genug von der Stadt entfernt, um nicht sofort entdeckt zu werden. Mit einer Ausnahme waren alle Fenster vernagelt. Sie hatten schon vorgehabt, das Haus abzubrennen und es seinem Schicksal zu überlassen, ebenso wie den Leichnam, den sie unter den Bäumen hinter dem Haus verscharrt hatten.

Die Autos kamen kurz hintereinander an. Beide waren zu vorsichtig und zu sorgfältig, um sich lange zu verspäten. Jeder von ihnen war sehr nervös, als sie aufeinander zugingen. Die Umstände brachten es mit sich, dass der eine sich in der Hand des anderen wusste.

„Sie fängt an, sich wieder zu erinnern."

„Sind Sie sicher?" Ein erstickter Fluch begleitete die Frage.

„Sonst hätte ich mich nicht mit Ihnen in Verbindung gesetzt. Mir ist mein Leben genauso wichtig wie Ihnen das Ihre." Solange einer von ihnen nicht entdeckt wurde, solange war auch der andere in Sicherheit, das wussten sie. Wenn aber einer auch nur den kleinsten Fehler beging ...

„Wie viel weiß sie?"

„Noch nicht genug, um gefährlich zu sein. Kindheitserinnerungen, ein Erinnerungsfetzen hier und da. Nichts von uns." Eine vorüberfliegende Krähe stieß einen kreischenden Laut aus und ließ sie beide zusammenfahren.

„Doch langsam fallen ihr die Dinge wieder ein. Jetzt sind es nicht mehr nur Alpträume. Ich bin davon überzeugt, wenn sie ihre Willenskraft einsetzt, dann wird es nicht mehr lange dauern."

„Wir wussten schon eine Weile, dass sie keinen endgültigen Gedächtnisverlust erlitten hat. Aber wir brauchen noch etwas mehr Zeit."

„Zeit?" Das Auflachen bei dieser Frage war schrill. „Uns bleibt herzlich wenig übrig. Sie erzählt dem Amerikaner alles. Sie sind ineinander verliebt, und er ist ein kluger Bursche. Sehr klug sogar."

„Seien Sie nicht albern." Wie hätte man die Ankunft des Amerikaners auch vorhersehen sollen? Dadurch war eine völlig neue Situation entstanden, die beide beunruhigte. „Wenn dieser Idiot Henri sich nur nicht betrunken hätte! Merde!" Der so sorgfältig ausgedachte Plan war durch ihn ins Wanken geraten, durch Henris Gier nach Alkohol und Sex. Es ließ sie beide kalt, ihn schließlich begraben zu haben.

„Es hat keinen Sinn, jetzt darüber zu debattieren. Wenn wir sie nicht noch einmal in unsere Gewalt bringen können, ist der Austausch unmöglich geworden. Deboque bleibt im Gefängnis, wir kommen nicht an das Geld heran und können uns nicht rächen."

„Also müssen wir sie noch einmal entführen."

„Was geschieht mit dem Amerikaner? Er ist nicht so vertrauensselig wie die Prinzessin."

„Er wird verschwinden müssen, so wie die Prinzessin auch, wenn sie sich zu früh erinnern sollte. Beobachten Sie sie genau. Sie wissen, was sie tun müssen, wenn dieser Fall eintreten sollte."

Der kleine Revolver war gut verborgen. „Wenn ich sie erschießen muss, dann haben Sie ebenso wie ich Blut an den Händen."

Der Gedanke an einen Mord war nicht beängstigend, sondern lediglich die Sorge vor Entdeckung und einem neuen Fehlschlag. „Das wissen wir beide. Wir müssen nur noch bis zur Ballnacht warten."

„Gut, das ist ein vernünftiger Plan, sie dort direkt aus der Mitte der Anwesenden zu entführen."

„Ja, es kann klappen. Oder haben Sie eine bessere Idee?" Ein unheilvolles Schweigen lastete zwischen den beiden Verschwörern.

„Ich wünschte nur, ich wäre hier bei ihr geblieben und nicht Henri."

„Halten Sie nur Ihre Augen und Ohren offen. Sie haben ihr Vertrauen gewonnen?"

„So wie jeder andere auch."

„Dann nützen Sie es aus. Uns bleiben nur noch knapp zwei Wochen."

## 10. Kapitel

Gabriella hielt die Hände im Schoß gefaltet und saß sehr aufrecht in ihrem Sessel. Sie wartete ungeduldig darauf, dass ihr Vater endlich zu sprechen begann.

„Sie sind also der Meinung, dass der Kaffee in dieser Thermoskanne ein Betäubungsmittel enthielt?" fragte Armand in sachlichem Ton und sah auf die auf seinem Schreibtisch stehende Thermosflasche.

„Es muss so sein." Reeve stand neben Gabriellas Stuhl und sah Armand an. „Und es passt auch zu dem sich wiederholenden Traum, unter dem Brie leidet."

„Man müsste die Thermosflasche einer Untersuchung unterziehen!"

„Ja, unbedingt." Reeve beobachtete jede Bewegung Armands, jede seiner Reaktionen. Er war sich auch bewusst, dass Armand ihn ebenso wachsam ansah. „Die Frage ist eigentlich, warum man sie dort nicht früher gefunden hat."

Armand sah Reeve in die Augen. „Es hat den Anschein, als hätte die Polizei nicht sorgfältig genug gearbeitet", stellte er kühl und nicht sehr freundlich fest.

„Es scheint, als hätten eine ganze Reihe von Leuten nicht genügend Sorgfalt walten lassen." Mehr als früher hatte Reeve Mühe, sein Temperament zu zügeln.

Armand machte einen unterkühlten, berechnenden Eindruck auf ihn, der ihm nicht gefiel. „Wenn in dem Kaffee ein Betäubungsmittel war, so wie ich es annehme, dann sind die Schlussfolgerungen daraus offensichtlich!"

Armand nahm eine seiner langen, dunklen Zigaretten und zündete sie an. „In der Tat."

„Sie nehmen das sehr gelassen hin, Eure Hoheit."

„Ich reagiere so, wie ich es für richtig halte."

„Und auch ich werde tun, was mir nötig erscheint. Ich werde Brie aus Cordina herausbringen, bis diese Angelegenheit geklärt ist. Im Palast ist sie nicht mehr sicher."

Armand biss die Zähne zusammen. „Wenn ich mir um die Sicherheit meiner Tochter keine Sorgen machen würde, dann hätte ich Sie auch nicht hierher gerufen."

„Es reicht!" Gabriella sprang aus ihrem Sessel auf und stellte sich zwischen Reeve und ihren Vater. „Wie könnt ihr beide es wagen, in meiner Gegenwart von mir zu reden, als wäre ich nicht in der Lage, mich um mich selbst zu kümmern? Wie könnt ihr euch unterstehen, über meinen Schutz zu sprechen, als wäre ich selbst dazu nicht fähig?"

„Gabriella!" Armand erhob sich schnell von seinem Stuhl. Diesen Ton hatte er früher zu oft schon gehört.

Er war genötigt gewesen, ihn zu unterbinden. „Pass auf, was du sagst."

„Ich denke nicht daran." Wütend stemmte sie beide Hände auf die Schreibtischplatte und blitzte ihren Vater an. Bei einer anderen Gelegenheit hätte er sie wahrscheinlich bewundert, so wie er Bries Mutter bewundert hatte. „Ich habe keinen Grund, nur höflich und zurückhaltend zu bleiben. Ich bin kein vornehmes Ausstellungsstück, sondern eine lebendige Frau. Hier geht es um mein Leben, begreift ihr das? Ich stehe nicht einfach tatenlos herum, während ihr beide euch wie zwei Kinder, die sich um dasselbe Spielzeug streiten, den Schädel einschlagt. Ich will endlich eine Lösung!"

Armand sah sie kühl und herablassend an. „Du verlangst mehr, als ich zu geben bereit bin", antwortete er abweisend.

„Ich will nur das, was mir zusteht."

„Was dein ist gehört dir nur, weil ich es dir gebe."

Blass aber gefasst richtete Gabriella sich auf. „Sprichst du als Vater?" fragte sie leise und in schneidendem Ton. „Sie herrschen gut über Cordina, Eure Hoheit. Kann man dasselbe auch hinsichtlich unserer Familie sagen?"

Der Hieb saß, das war Armand anzusehen. Aber sein Gesicht war gleich wieder maskenhaft unbeweglich. „Du musst mir vertrauen, Gabriella."

„Vertrauen?" Ihre Stimme bebte. „Das hier zeigt mir", sagte sie mit einer Geste auf die Thermosflasche hin, „dass ich keinem vertrauen kann. Niemandem." Dann drehte sie sich hastig um und verließ den Raum.

„Lassen Sie sie gehen", befahl Armand, als Reeve schon halb hinter ihr hergeeilt war. „Man kümmert sich um sie. Ich sagte doch, man wird schon auf sie Acht geben", wiederholte er, da Reeve nicht stehen blieb. Lassen Sie sie gehen."

Die Worte hätten Reeve nicht aufzuhalten vermocht aber der Ton ließ ihn innehalten. Ein schmerzlicher Unterton schwang darin mit, dieselbe innere Qual, die Reeve an jenem Tag bei Armand im Warteraum des Krankenhauses bemerkt hatte. Deshalb blieb er an der Tür stehen und wandte sich um.

„Wussten Sie nicht, dass jeder ihrer Schritte ständig überwacht wird?" sagte Armand leise. „Sie wird so genau beobachtet, dass ich sogar weiß, wo sie letzte Nacht verbracht hat." Müde ließ er sich wieder auf seinen Sessel sinken.

Reeve sah in verblüfft an. Es war ihm nicht entgangen, dass die Dienerschaft sich häufig in Gabriellas Nähe aufhielt, aber er hatte nicht vermutet, dass das tatsächlich auf Armands Befehl hin geschah. „Sie lassen ihr nachspionieren?"

„Ich lasse sie überwachen", verbesserte Armand sehr betont. „Glauben Sie etwa, Reeve, dass ich Bries Sicherheit dem Zufall überlasse? Oder ausschließlich Ihrer Umsicht? Ich brauchte Sie aus allen bekannten Gründen heraus, aber wenn es um das Leben meiner Tochter geht, setze ich jedes mir zur Verfügung stehende Mittel ein." Armand fuhr sich flüchtig mit der Hand durch sein Gesicht und zeigte so zum ersten Mal seine innere Anspannung. „Bitte, schließen Sie die Tür, und bleiben Sie einen Moment. Es ist an der Zeit, dass ich Sie genauer informiere."

„Sie wissen, wer sie entführt hat", sagte Reeve ruhig, aber Zorn schwang noch in seiner Stimme mit. „Sie wussten es die ganze Zeit."

„Ich kenne einen der Beteiligten und verdächtige eine weitere Person. Doch auch Sie hegen einen Verdacht." Sein abweisender, unnachgiebiger Blick haftete auf Reeve. „Es ist mir nicht entgangen, dass auch Sie eine bestimmte Theorie haben und die Sache auf Ihre Weise untersuchen. Ich habe nichts anderes von Ihnen erwartet, hatte allerdings nicht damit gerechnet, dass Sie so schnell Gabriellas Vertrauen erlangen würden."

„Wer hätte ein besseres Recht dazu gehabt?"

„Ich bin ihr Vater, doch in erster Linie bin ich der Regent. Sie kann nur das tun, was ich ihr zubillige." Aus Armands Worten sprachen kalte Arroganz und

Machtbewusstsein, die Reeve nun schon nicht mehr fremd waren und für die er sogar so etwas wie Bewunderung empfand.

„Sie benutzen Brie als Mittel zum Zweck."

„Und Sie auch", gab Armand zurück. „Andere desgleichen."

„Warum, zum Teufel, lassen Sie sie so im Ungewissen?" verlangte Reeve zu wissen. „Ist Ihnen nicht bekannt, wie sehr sie sich quält?"

„Glauben Sie ernstlich, dass mir das verborgen geblieben ist?" Armand hob die Stimme, und er sah Reeve zornig an. In seiner Jugend hatte man sein unberechenbares Temperament gefürchtet, und nun schien ihn die jahrelange Kontrolle seines Wesens zu verlassen. „Sie ist mein Kind, mein ältestes Kind. An meiner Hand lernte sie laufen, ich saß an ihrem Bett, wenn sie krank war und weinte an ihrer Seite am Grabe ihrer Mutter."

Armand erhob sich steif und ging langsam zum Fenster. Er lehnte sich hinaus und stützte dabei die Hände auf den Sims. „Was ich tue, mache ich, weil ich es so tun muss. Trotzdem liebe ich Brie."

Das glaubte Reeve dem Fürsten unbesehen. „Gabriella sollte das wissen."

„Der Verstand ist eine uns immer noch unbekannte, delikate Sache, Reeve", sagte Armand. „Gabriella ist trotz ihrer Willenskraft und ihrer inneren Stärke noch nicht in der Lage, die verstandesmäßige Blockade, sich nicht zu erinnern, von selbst zu überwinden. Wenn Sie anderer Ansicht wären, warum haben Sie ihr dann nicht mitgeteilt, wen Sie verdächtigen?"

„Sie braucht Zeit", fing Reeve an, doch Armand drehte sich um und unterbrach ihn mit einer Handbewegung.

„Ja, und ich kann ihr nicht mehr als Zeit geben. Dr. Kijinsky hat mir in aller Deutlichkeit dazu geraten. Wenn Gabriellas Verstand nicht von selbst dazu bereit ist, das Geschehene zu verarbeiten und zu akzeptieren, dann könnte, wenn man ihr zu früh alles erzählen würde, der nachfolgende Schock zu einem vollständigen Zusammenbruch führen. Dann könnte es sein, dass ihr Gedächtnisverlust endgültig wird."

„Aber sie erinnert sich doch schon an einige Einzelheiten."

„Ihr Gedächtnis reagiert auf die wenigen Anstöße. Sie sind klug genug, um das zu wissen. Wenn ich ihr jedoch alles, was ich weiß oder vermute, berichten würde, dann wäre es zu viel für sie. Eine immense Gefahr. Als Vater muss ich jetzt Geduld bewahren, und als Cordinas Herrscher stehen mir andere Wege offen, das herauszufinden, was ich wissen muss. Ja, ich weiß, wer sie entführt hat und warum."

Er sah grimmig und entschlossen aus, wie ein Verfolger hinter seiner Beute. „Aber noch ist der Augenblick nicht gekommen. Um sie dingfest zu machen, brauche ich noch etwas mehr Zeit. Das müssten Sie, der mit den Intrigen in Washington vertraut ist, doch eigentlich bestens verstehen. Leugnen Sie es nicht", wehrte Armand Reeves Protest ab. „Ich bin über die Art Ihrer Tätigkeit bestens informiert."

„Ich war nur ein kleines Rad beim Geheimdienst."

„Nicht nur ein kleines Rad", widersprach Armand mit einem Kopfschütteln. „Doch lassen wir es dabei bewenden. Es ist Ihnen klar, dass ich als Regent erst den endgültigen Beweis haben muss, ehe ich Anklage erheben kann. Ich kann es mir nicht erlauben, wie ein verzweifelter, wütender Vater zu erscheinen. Ich bin als Richter der Gerechtigkeit verpflichtet. Es gibt hier einige mir nahe stehende Leute, die glauben, dass ich auf Grund meiner Stellung nichts von den Schachzügen, den Bestechungen und der falschen Loyalität weiß, die es hinter den Kulissen meiner Regierung gibt. Ich bin nicht böse, dass diesen Leuten meine Kenntnis von den Vorgängen entgeht. Es gibt genügend Personen, die glauben, dass ich jetzt, wo Gabriella wieder bei mir ist, mich nicht weiter mit den Gründen ihrer Entführung befassen würde. Eine der Bedingungen der Entführer war die Freilassung verschiedener Gefangener. Bis auf einen waren alle anderen nur zur Tarnung genannt. Dieser eine war – Deboque."

Eine Reihe Erinnerungen kamen in Reeve auf. Auf diesen Namen war er oft genug im Zusammenhang mit seiner Geheimdiensttätigkeit gestoßen. Deboque war ein sehr erfolgreicher Geschäftsmann, der mit Drogen, Waffen und Prostitution in Verbindung gebracht wurde. Er handelte mit allem, mit Raketen, Sprengstoffen sowie militärischer Ausrüstung und verkaufte es dem Meistbietenden.

Aber er war nur so lange erfolgreich gewesen, bis er am Ende einer dreijährigen, mit größter Genauigkeit geführten Untersuchung überführt und verurteilt wurde. Allerdings war man weithin davon überzeugt, dass Deboque auch in den bisher verbüßten zwei Jahren der Haftzeit die Fäden seiner Organisation nicht aus den Fingern gelassen hatte.

„Sie glauben also, dass Deboque dahinter steckt?"

„Deboque ist für Gabriellas Entführung verantwortlich", stellte Armand lakonisch fest. „Wir müssen nur noch beweisen, wer seine Mittelsmänner waren."

„Sie kennen sie?" Reeve sprach jetzt wieder ruhiger. Ihm war klar, nur ein exakter Beweis konnte Deboque überführen und dessen mögliche Machenschaften und politische Intrigen unterbinden. „Ist Deboque denn auch von der Zelle aus in der Lage, seine Macht in Cordina weiter auszuüben?"

„Er ist dieser Ansicht und denkt, der Anfang sei bereits gemacht. Ich glaube, damit ...", Armand unterbrach sich mit einer Handbewegung zur Thermosflasche hin, „... damit kann man ihn matt setzen und einen seiner Helfershelfer herausfinden. Bei dem anderen wird es schwieriger sein." Flüchtig sah er auf den Ring an seiner Hand. Reeve bemerkte den Ausdruck des Bedauerns in seinem Gesicht. „Ich sagte Ihnen schon, dass ich weiß, wo Gabriella die Nacht zugebracht hat?"

„Ja, bei mir."

Erneut spiegelte Armands Gesicht einen Moment lang seine Gefühle wider, doch er hatte sich schnell wieder unter Kontrolle. „Sie sind der Sohn eines meiner ältesten Freunde und ein Mann, den ich um seiner selbst willen respektiere. Aber es fällt mir doch schwer, meine Ruhe zu bewahren, seit ich weiß, dass sie bei Ihnen war, Ich begreife natürlich, dass Gabriella inzwischen eine Frau ist, aber ..." Armand zögerte weiterzusprechen. „Welcher Art sind Ihre Gefühle für Gabriella? Ich frage jetzt als ihr Vater."

Reeve stand vor Armand und sah ihm fest in die Augen. „Ich liebe sie."

Armand fühlte den Stich, den ein Elternteil immer dann empfindet, wenn eines seiner Kinder seine Liebe und Zuneigung einem anderen außer ihm schenkt. „Nun ist es an der Zeit, dass ich Ihnen sage, was wir unternommen haben, Reeve. Außerdem brauche ich Ihren Rat." Armand wies mit der Hand auf einen Stuhl, und Reeve setzte sich ihm gegenüber.

Sie unterhielten sich noch zwanzig Minuten lang sehr angeregt, obwohl beide mit ihrem inneren Aufruhr zu kämpfen hatten. Einmal stand Armand auf und goss Cognac in zwei Gläser. Der Plan, den sie besprachen, war gut durchdacht. Reeves Erfahrungen und sein scharfer Verstand waren Armand eine große Hilfe.

Man würde die Verdächtigen sehr genau beobachten. In dem Augenblick, in dem sich Gabriella wieder erinnern sollte, würde der nächste Schritt getan werden. Und wenn alles gut ging, war Gabriella nicht einen Augenblick lang in Gefahr.

Die Dinge entwickeln sich jedoch nicht immer nach Plan.

Zornbebend stürmte Gabriella in ihr Büro und fand Janet dort vor, die mit ihren Papieren beschäftigt war. Sofort drehte sich Janet zu ihr um und verneigte sich, die Dokumente noch immer in der Hand.

„Eure Hoheit, ich habe Sie heute nicht so bald zurückerwartet."

„Ich will arbeiten." Gabriella ging direkt zu ihrem Schreibtisch und sah ihre Unterlagen durch. „Ist das

Menü für das private Abendessen fertig, dass wir unseren persönlichen Gästen am Abend vor dem Ball geben werden?"

„Die Druckerei hat Ihnen einen Fahnenabzug zur Genehmigung geschickt."

„Ja, hier ist er." Gabriella nahm den schweren, cremefarbenen Andruck zur Hand und warf einen Blick auf die exquisite Aufmachung.

„Ich werde es nicht tolerieren." Sie warf die Tischkarte auf den Schreibtisch zurück und sprang auf.

„Billigen Sie das Menü nicht?"

„Nicht billigen?" Mit einem bitteren Lachen steckte Gabriella die Hände in die Taschen ihres Rockes. „Es ist perfekt. Rufen Sie die Druckerei an, und sagen Sie ihnen, dass sie es so lassen können. Die fünfzig Gäste, die mit uns am Vorabend des Balles speisen, werden ein unvergessliches Erlebnis haben. Dafür werde ich schon sorgen. Keiner von ihnen wird das jemals vergessen!" Bebend fuhr sie herum.

Janet war sich nicht sicher, was sie darauf antworten sollte und wartete geduldig mit den Papieren in ihrer Hand. „Ja, Eure Hoheit."

„Sogar mein Vater versagt mir die Höflichkeit."

„Ich bin sicher, Sie missverstehen etwas. Fürst Armand ...", begann Janet.

„... findet es richtig, die Entscheidungen für mich zu

treffen", fuhr Gabriella dazwischen. „Er treibt sein Spiel mit mir, das weiß ich. Das jedenfalls weiß ich, obwohl es hundert andere Sachen gibt, an die ich mich nicht erinnere. Aber das wird schon noch kommen, sehr bald sogar." Gabriella ballte die Hände zu Fäusten.

„Sie sind aufgeregt, ich werde Ihnen etwas Kaffee kommen lassen", sagte Janet und legte die Dokumente ordentlich auf die Schreibtischplatte.

„Einen Augenblick." Gabriella machte einen Schritt auf sie zu. „Wer kümmert sich um meinen Kaffee, Janet?"

Der Ton in Gabriellas Frage verwirrte Janet, und sie legte den Hörer wieder auf die Gabel zurück. „Wer? Die Küche natürlich. Ich will eben dort anrufen und ..."

Gabriella schoss es durch den Kopf, dass sie keine Ahnung hatte, wo die Küche eigentlich war. „Bereitet die Küche auch eine Thermosflasche für mich vor, wenn ich danach verlange?" Ihr Puls ging plötzlich schneller, ehe sie die nächste Frage stellte. „Wenn ich aufs Land fahren will, Janet?"

Janet machte eine kleine, zittrige Geste mit den Händen. „Sie haben Ihren Kaffee immer sehr gern stark. Gewöhnlich wird er von der alten russischen Frau gemacht."

„Nanny", flüsterte Brie leise. Das war nicht die Antwort, mit der sie gerechnet hatte.

„Ich habe oft gehört, dass Sie darüber scherzten, der Kaffee würde auch ohne die Flasche nicht die Form verlieren." Janet brachte ein unsicheres Lächeln zu Wege. Sie kocht ihn in ihrem Zimmer und weigert sich, dem Koch ihr Rezept zu verraten."

„Sie bringt mir also die Thermosflasche, bevor ich das Haus verlasse."

„Für gewöhnlich ja, Eure Hoheit. Aus der gleichen Gewohnheit heraus bringt Prinz Bennett eher ihr ein Hemd zum Knopfannähen als seinem Kammerdiener!"

Ein Schwindelgefühl überkam Gabriella, aber sie konnte sich beherrschen. „Ein sehr altes und vertrauenswürdiges Mitglied unserer Familie also."

„Ja, sie zählt sich nicht einmal zu den Angestellten des Palastes. Fürstin Elizabeth nahm eher sie auf Reisen mit als eine Kammerzofe."

„War Nanny mit meiner Mutter in Paris? War sie bei ihr, als meine Mutter erkrankte?"

„So wurde mir berichtet, Eure Hoheit. Sie war der Fürstin völlig ergeben."

Und geistig verwirrt? überlegte Gabriella. Oder verkalkt? Wie viele Leute hätten Gelegenheit gehabt, etwas in die Thermosflasche hineinzuschütten? Sie zwang sich zur Ruhe, ehe sie die nächste Frage stellte. „Wissen Sie, ob Nanny mir an dem Tag, an dem ich zum Bauernhof hinausgefahren bin, den Kaffee zubereitet hat? An dem Tag, an dem ich entführt wurde?"

„Warum? Ja." Janet zögerte. „Sie brachte ihn hierher. Sie kümmerten sich noch um die Post, ehe Sie abfuhren. Nanny brachte den Kaffee, sie schimpfte, weil Sie ohne Jacke fahren wollten. Sie haben sie ausgelacht und versprochen, dass sie nicht ohne eine Jacke gehen würden. Und dann haben Sie sie hinausgeschickt. Sie waren in Eile und ließen mich wissen, dass wir den Rest der Korrespondenz später erledigen würden."

„Niemand anders kam in den Raum?" forschte Gabriella. „Wir wurden von dem Moment an, nachdem Nanny den Kaffee gebracht hatte, bis zum Augenblick meiner Abfahrt nicht mehr gestört?"

„Niemand, Eure Hoheit. Ihr Wagen wartete vor dem Hauptportal. Ich habe Sie selbst hinunterbegleitet. Eure Hoheit ..." Vorsichtig streckte Janet eine Hand aus. „Ist es gut für Sie, über solche Dinge nachzudenken, sich mit derartigen Einzelheiten zu quälen?"

„Vielleicht nicht." Gabriella erwiderte flüchtig Janets Händedruck, ehe sie zum Fenster hinüberging. Der Wunsch, endlich mit einer Frau über alles zu sprechen, wurde ganz stark. Sie brauchte einfach eine Vertrauensperson. „Ich habe heute keine Verwendung mehr für Sie, Janet, vielen Dank."

„Ja, Eure Hoheit. Soll ich Ihnen, bevor ich gehe, noch den Kaffee bestellen?"

„Nein." Beinahe musste Gabriella lachen. „Nein, danke, ich mag jetzt nicht mehr."

Gabriella konnte nicht mehr im Zimmer, von Wänden umgeben, bleiben. Kaum war Janet gegangen, hatte sie das Bedürfnis nach frischer Luft und Sonne. So verließ sie ihr Büro, ging ohne Ziel durch den Palast. Plötzlich fand sie sich auf der Terrasse wieder, wo sie mit Reeve am ersten Abend gewesen war. Wo er sie zum ersten Mal geküsst hatte, und wo erstmals ihre Gefühle geweckt worden waren.

Am Tage wirkt alles ganz anders, dachte sie und ging zur Brüstung. Sie lehnte sich vor und bewunderte den herrlichen Ausblick, als sie Schritte hinter sich vernahm.

„Eure Hoheit." Loubet betrat die Terrasse mit einem leichten, kaum wahrnehmbaren Hinken. „Ich hoffe, ich störe Sie nicht."

Natürlich störte er sie, aber sie war zu wohlerzogen, es ihn merken zu lassen. Gabriella reichte ihm lächelnd die Hand. Während des gemeinsamen Diners hatte sie Loubets junge, hübsche Frau kennen und schätzen gelernt. Sie fand es rührend, dass dieser dickliche, praktisch veranlagte Staatsminister so offensichtlich verliebt in sie war.

„Sie sehen gut aus Monsieur."

„Merci, Vôtre Altesse." Er gab ihr einen galanten Handkuss. „Ich muss sagen, Sie machen einen blühenden Eindruck. Wieder zu Hause zu sein, ist offensichtlich die beste Medizin für Sie."

„Ich dachte gerade, dass es mir tatsächlich inzwischen wie ein Zuhause vorkommt." Sie sah wieder auf die Berge hinüber, die Cordina umgaben. „Noch nicht im Herzen, aber wenigstens äußerlich. Sind Sie gekommen, um mit meinem Vater zu sprechen, Monsieur Loubet?"

„Ja, ich habe in wenigen Minuten eine Verabredung mit ihm."

„Sagen Sie, Sie haben doch viele Jahre lang für meinen Vater gearbeitet. Würden Sie sich als seinen Freund bezeichnen?"

„Ich habe mich immer als solchen betrachtet, Eure Hoheit."

Er ist immer so diplomatisch, so konservativ, dachte Gabriella mit einem leichten Anflug von Ungeduld. „Hören Sie, Loubet, ohne meinen Gedächtnisverlust müsste ich diese Frage nicht stellen. Schließlich wird dieses Problem auf Ihren Rat hin so heruntergespielt", erinnerte sie ihn mit einem leichten Stirnrunzeln. „Erzählen Sie mir also, ob mein Vater Freunde hat und ob Sie dazugehören."

Loubet dachte nach. Er war ein Mann, der stets erst seine Gedanken ordnete, ehe er sie in Worte fasste. „Es gibt wenige große Männer auf der Welt. Einige davon sind gutherzig. Fürst Armand ist einer dieser Menschen. Große Männer schaffen sich Feinde, gute Männer Freunde. Ihr Vater trägt die Last, dass ihm beides widerfährt."

„Ja."

Seufzend lehnte sich Gabriella an die Mauer. „Ich glaube zu verstehen, was Sie meinen."

„Ich stamme nicht aus Cordina." Loubet lächelte und schaute seinerseits auf das Panorama. „Verfassungsgemäß ist der Staatsminister ein Franzose. Ich liebe mein eigenes Land. Ich will Ihnen offen gestehen, dass ich nur der Gefühle wegen, die ich für Ihren Vater empfinde, Ihrem Land diene."

„Ich wünschte, ich wäre mir meiner eigenen Gefühle so sicher", sagte Gabriella sehr leise.

„Ihr Vater liebt Sie." Er versicherte ihr das mit so großem Zartgefühl, dass sie ihre Augen schloss, um nicht in Tränen auszubrechen.

„Sie sollten keinen Zweifel daran haben, dass Ihr Wohlergehen Ihrem Vater das Wichtigste ist."

„Sie beschämen mich."

„Eure Hoheit ..."

„Nein, Sie haben Recht. Ich habe über vieles nachzudenken." Sie ging auf Loubet zu und gab ihm die Hand. „Vielen Dank, Monsieur Loubet."

Er machte eine förmliche Verbeugung, so dass sie lächeln musste.

Doch dann hatte Gabriella den Franzosen auch schon wieder vergessen und wandte sich erneut dem reizvollen Ausblick auf die Stadt zu.

Weder sie noch Loubet hatten den jungen Mann bemerkt, der am anderen Ende der Terrasse frisch geschnittene Blumen in Vasen arrangierte. Auch die stämmige Magd, die hinter den Glasscheiben Staub wischte, war ihrer Aufmerksamkeit entgangen.

Nachdem er Gabriella überall gesucht hatte, fand Reeve sie schließlich draußen auf der Terrasse. Er war zugleich erleichtert und nervös. Armand hatte ihm versichert, dass Gabriella ständig überwacht würde, und ihm fielen die beiden Leute auf, die sich in einiger Entfernung der Prinzessin zu schaffen machten. Und dennoch hatte der Fürst von Anfang an auch auf seine Unterstützung nicht verzichten wollen.

Nach ihrem Gespräch verstand Reeve jetzt besser, warum Armand einen Fremden in die Sache hineingezogen hatte, jemanden, der Cordina und seiner Herrscherfamilie nicht so verbunden war. Mehr als früher muss ich jetzt objektiv bleiben, dachte er und betrachtete dabei Gabriella. Aber mehr als früher würde ihm das jetzt schwer fallen.

„Brie!"

Langsam drehte sich die Prinzessin um, als hätte sie Reeves Gegenwart gespürt. Ihr Haar war vom Wind zerzaust. Ruhig sah sie ihn an. „Als ich mit dir hier am ersten Abend war, hatte ich noch viele Fragen. Jetzt, Wochen später, fehlen mir noch immer die meisten Antworten." Sie sah auf ihre Ringe, deren Anblick die unterschiedlichsten Gefühle in ihr auslösten. „Du willst mir nicht sagen, was du mit meinem Vater besprochen hast, nachdem ich euch verlassen habe."

Das war keine Frage sondern eine Feststellung, aber Reeve wusste, dass er ihr eine Antwort schuldig war. „Dein Vater denkt in erster Linie an dich, ehe er an etwas anderes denkt. Vielleicht hilft es dir, das zu wissen."

„Und du?"

„Ich bin deinetwegen hier." Er kam an ihre Seite wie damals im Mondlicht. „Es gibt keinen anderen Grund."

„Meinetwegen?" Gabriella sah ihn fragend an und bemühte sich, Reeve ihre Gedanken nicht erraten zu lassen. „Oder nur der alten Familienbande wegen?"

„Was verlangst du eigentlich?" Er nahm ihre zarten, schmalen Hände und blickte ihr in die Augen. „Meine Gefühle für dich haben nichts mit der Freundschaft unserer Väter zu tun. Dass ich hier bin, hat einzig und allein mit meinen Gefühlen für dich zu tun."

„Ich wünschte, dies alles wäre vorüber", sagte Gabriella und meinte damit ihre unbekannte Vergangenheit ebenso wie die ungewisse Zukunft. „Ich möchte endlich wieder ich selbst sein."

Zum Teufel mit den ganzen Plänen und aller Neutralität! Reeve fasste sie an den Schultern. „Ich werde dich für eine Weile nach Amerika mitnehmen."

Verwirrt legte sie ihm eine Hand auf den Arm. „Nach Amerika?"

„Du kannst bei mir in meinem Haus bleiben, bis die ganze Angelegenheit geklärt ist."

Bis! Das Wort erinnerte sie daran, dass manche Dinge zu Ende gehen würden. Sie ließ ihre Hand sinken. „Diese ganze Geschichte fängt mit mir an. Ich kann nicht einfach fortlaufen."

„Du musst nicht hier bleiben." Plötzlich erkannte Reeve, wie einfach alles sein könnte. Sie wäre nicht mehr hier, und er würde für ihre Sicherheit sorgen. Armand müsste nur seinen Plan ändern.

„Ich muss hier bleiben. Hier habe ich irgendwo mein Leben verloren. Wie kann ich es Tausende von Meilen entfernt wiederfinden?"

„Wenn du dich erinnern willst, kannst du das überall tun. Die Entfernung spielt dabei keine Rolle."

„Aber für mich spielt es eine Rolle." Sie entzog sich ihm und lehnte sich wieder gegen die Mauer. Ihr Stolz, den sie von ihren Ahnen geerbt hatte, kam zurück. „Denkst du, ich sei ein Feigling? Glaubst du wirklich, ich könnte vor den Leuten, die sich meiner bemächtigt haben, die Flucht ergreifen? Steckt vielleicht mein Vater dahinter, damit ich keine weiteren Fragen stellen soll?"

„Du weißt, dass das nicht stimmt."

„Ich weiß gar nichts", versetzte sie gereizt. „Das Einzige, was mir klar ist, ist die Tatsache, dass alle Männer in meinem Leben das Bedürfnis verspüren, mich vor etwas zu schützen, wovor ich gar nicht beschützt werden will. Heute Morgen noch hast du zu mir gesagt, dass wir zusammenarbeiten werden."

„Das habe ich auch so gemeint."

Sie sah ihn aufmerksam an. „Und jetzt?"

„Jetzt meine ich es noch genauso." Aber Reeve behielt sein Wissen und die ihm übermittelten Erkenntnisse trotzdem für sich.

„Dann sollten wir das auch tun." Gabriella machte einen Schritt vorwärts. Im selben Augenblick ging auch Reeve auf sie zu. Sie umarmten sich und hielten sich eng umschlungen. Doch beide wussten, wie viel zwischen ihnen stand.

„Ich wünschte, wir wären allein", hauchte sie. „So allein, wie wir damals auf dem Boot waren."

„Wir werden morgen segeln gehen."

Sie schüttelte den Kopf, ehe sie ihre Wange wieder eng an ihn schmiegte. „Ich kann nicht. Von jetzt an habe ich vor dem Ball für nichts mehr Zeit. Ich habe viel zu viel zu tun, Reeve."

Wir haben beide viel zu tun, dachte er. „Nach dem Ball also."

„Gut." Gabriella hielt die Augen einen Moment lang geschlossen. Versprichst du mir etwas? Es mag albern klingen."

Er küsste ihre Schläfe. „Wie albern?"

„Denk nicht immer so praktisch." Lächelnd legte sie ihren Kopf zurück. „Wenn ich meine Erinnerung wiederhabe und dies alles hier vorbei ist, willst du dann einen Tag mit mir auf dem Wasser verbringen?"

„Das hört sich gar nicht albern an."

„Das sagst du jetzt." Sie schlang die Arme um seinen Hals. Sie wollte ihn so festhalten, wenigstens einen Moment lang. „Versprich es mir."

„Versprochen."

Mit einem Seufzer lehnte sie sich an ihn. „Ich nehme dich beim Wort", drohte sie.

Sie küssten sich, und keiner wollte an die Zeit nach diesem letzten Tag auf dem Wasser denken.

## 11. Kapitel

„Ich habe Professor Sparks also erklärt, dass man schon ein Felsblock sein müsste, um sich völlig auf Homer konzentrieren zu können, wenn im selben Klassenzimmer eine Frau wie Lisa Barrow sitzt."

„War er deiner Ansicht?" fragte Gabriella ihren Bruder Bennett geistesabwesend, während sie zusah, wie der frisch gereinigte Kristalllüster wieder aufgehängt wurde.

„Machst du Witze? Er hat ein Herz aus Stein." Mit einem spitzbübischen Lächeln steckte er die Hände in seine hinteren Hosentaschen. „Aber ich bin mit der göttlichen Miss Barrow verabredet."

Gabriella musste lachen. „Ich hätte dir vorher sagen können, dass du nicht nach Oxford zurückfährst, um dein Studienheft mit Aufzeichnungen voll zu schreiben." Sie warf einen Blick auf ihre lange Liste voller Notizen.

„Aber du hast es mir nicht gesagt. Du hältst einem nie Vorträge." Locker legte er seinen Arm auf ihre Schulter. „Ich habe mir die Gästeliste angesehen. Welch ein Vergnügen zu sehen, dass die aufregende Lady Lawrence darauf steht."

Die Bemerkung weckte ihre Aufmerksamkeit. Gabriella ließ ihre Liste sinken und ermahnte ihn: „Bennett, Lady Allison Lawrence ist fast dreißig Jahre alt und geschieden."

Bennett sah seine Schwester mit einem unschuldigen Lächeln an, aber aus seinen Augen blitzte der Schalk. „Wirklich?"

Gabriella schüttelte den Kopf. Was für ein frühreifer Junge, dachte sie. „Vielleicht sollte ich dir wirklich einen Vortrag halten."

„Ach, überlass das Alex. Der kann das viel besser."

„Das habe ich auch bemerkt", meinte sie.

„Hat er dir sehr zugesetzt?"

Erneut runzelte sie die Stirn, als der nächste Leuchter zur Decke hochgezogen wurde. „Ist das seine normale Art?"

„Er ist halt so." Bennett sprach mit der unerschütterlichen Loyalität eines Bruders für den anderen.

„Prinz Perfekt."

Bennett strahlte. „Wie, du erinnerst dich ..."

„Dr. Franco hat es mir erzählt."

„Oh." Seine Umarmung wurde stärker, als sei er enttäuscht und wolle sie trösten. „Als ich gestern Nacht ankam, hatte ich nicht viel Zeit, mich mit dir zu unterhalten. Ich wollte wissen, wie es dir geht."

„Ich wünschte, ich könnte es dir sagen. Körperlich gesehen geht es mir so weit gut. Obwohl ich glaube, dass Dr. Franco sich lieber noch länger um mich kümmern möchte. Alles andere ist noch sehr kompliziert."

Bennett nahm ihre Hand und drehte den Diamantring so, dass seine Facetten im Licht erstrahlten. „Ich vermute, dies ist eine der Komplikationen."

Er spürte förmlich, wie Gabriella sich verkrampfte, ehe sie sich zu einer Antwort durchrang. „Nur eine zeitweilige. Die Dinge werden sich schon bald von selbst regeln." Sie dachte an ihre Träume und die Thermosflasche. „Bennett, ich wollte dich etwas über Nanny fragen. Glaubst du, dass sie gesund ist?"

„Nanny?" Er sah sie überrascht an. „Ist sie krank gewesen? Niemand hat mir etwas davon erzählt."

„Nein, nicht krank." Gabriella zögerte. Sie fühlte sich zwischen Verdacht und Loyalität zu ihrer Amme hin- und hergerissen. Warum erzählte sie Bennett nicht einfach kurz und bündig von dem Verdacht, den sie hinsichtlich der Kinderfrau hegte? „Sie ist jetzt doch schon sehr alt, und mit zunehmenden Jahren werden die Leute oft wunderlich, oder ...“

„Senil? Nanny?" Lachend drückte er ihre Hand. „Sie hat einen messerscharfen Verstand. Wenn sie sich zu viel um dich gekümmert hat, dann nur, weil sie meint, ein Recht dazu zu haben."

„Natürlich." Gabriellas Zweifel schwanden nicht,

aber sie behielt sie für sich. Sie würde weiter warten und aufpassen, wie sie es sich vorgenommen hatte.

„Brie, da ist ein Gerücht im Umlauf, dass du und Reeve das Liebespaar des Jahrzehnts seid."

„Oh?" Sie sah lediglich kurz auf, aber mit dem Daumen drehte sie den Ring nach innen. „Wir scheinen unser Spiel gut zu spielen."

„Ist es ein Spiel, oder ..."

„Ach, nicht auch du noch." Unwillig ließ Gabriella ihren Bruder stehen und ging zur Terrassentür. „Das habe ich schon mit Alexander hinter mich gebracht. Ihr seid alle so neugierig."

„Ist es nicht verständlich, dass ich frage?"

„Würdest du genauso reagieren, wenn es sich um eine echte Verlobung handelte?" Ihr Ton war spröde, fast kalt.

Das allein war Antwort genug auf Bennetts Frage. Aber er wusste überhaupt nicht, ob er erleichtert oder verwirrt sein sollte.

„Ich fühle mich verantwortlich", erklärte er nach einer Pause. „Schließlich war es ja mehr oder weniger meine Idee, und ..."

„Deine?" Eigentlich hätte sie sich ärgern sollen, aber er war so jung und so unglaublich lieb, dass sie nur Zuneigung und Liebe für ihn empfand. „Der Teufel sollte dich holen, Bennett. Ich hätte gutes Recht wütend auf dich zu sein." Aber sie legte kameradschaftlich ihre Arme um seine Schultern.

Er lehnte seinen Kopf an ihre Schläfe. „Ich hatte ja keine Ahnung, dass du dich in ihn verlieben würdest."

Sie hätte es leugnen können. Stattdessen schüttelte sie den Kopf und seufzte leise. „Nein, ich ebenso wenig."

Gabriella ließ ihre Arme sinken. In diesem Augenblick geleitete ein Diener zwei Damen in den Saal. Gabriella hatte Anweisung gegeben, man möge Christina Hamilton und ihre Schwester nach deren Ankunft umgehend zu ihr bringen.

Sie erkannte die große, gut aussehende Frau mit dem brünetten Haar sofort von den Fotografien und Zeitungsausschnitten, die man ihr gegeben hatte. Aber außer einem Anflug von Panik empfand sie nichts bei dem Anblick der alten Freundin.

Was sollte sie tun? Sollte sie auf sie zugehen oder lächelnd warten? Sollte sie höflich oder herzlich, entgegenkommend oder belustigt sein? Wie war es ihr doch zuwider, nichts zu wissen.

„Sie ist deine engste Freundin", flüsterte Bennett ihr ins Ohr. „Du hast immer gesagt, du hättest Brüder durch Geburt und eine Schwester durch glückliche Umstände. Und das ist Christina."

Bennetts Worte genügten, um ihre Panik zu mildern. Die Frauen begrüßten sich, wobei die jüngere ihren Blick nicht von dem Prinzen wenden konnte und die andere ein herzliches Lächeln für Gabriella hatte.

„Oh, Brie!" Lachend hielt Christina die Freundin bei den Händen. Sie hatte sanfte, lebenslustige Augen. Ihr Mund war willensstark, aber er wirkte bezaubernd, wenn sie lächelte.

„Du siehst wundervoll, einfach hinreißend aus!" Christina umarmte sie heftig, so dass Gabriella das exotisch duftende, teure Parfum wahrnahm. Glücklicherweise wich jetzt das unangenehme Gefühl von Gabriella. „Ich freue mich, dass ihr hier seid." Gabriella und Christina lagen sich in den Armen, Wange an Wange. Ihre Worte waren nicht einmal eine Lüge, fand Gabriella. Sie brauchte eine Freundin, einfach nur eine Freundin, keine Familie, keinen Liebhaber. „Ihr müsst sehr müde sein."

„Oh, du weißt, fliegen kratzt mich eher auf. Du bist schmaler geworden. Das ist nicht anständig von dir."

Gabriella lächelte, als sie sich aus Christinas Umarmung löste. „Nur fünf Pfund."

„Fünf Pfund nur." Christina rollte mit den Augen. „Ich muss dir alles über diesen teuren kleinen Badeort erzählen, in dem ich vor ein paar Wochen war. Ich habe fünf Pfund zugenommen. Prinz Bennett." Christina hielt ihm ihre Hand in Erwartung eines Kusses hin. „Lieber Himmel, liegt es an der Luft in Cordina, dass alle hier so fantastisch aussehen?"

Bennett enttäuschte die Freundin seiner Schwester nicht. Doch während er ihre Hand küsste, warf er einen Blick zu Eve hinüber. „Die Luft in Houston muss zauberhaft sein."

Christina war der Blick nicht entgangen. Sie hatte darauf gewartet. Ihre Schwester Eve war immerhin ein Mädchen, das kein Mann einfach übersehen konnte, was Christina beunruhigte. „Prinz Bennett, ich glaube, Sie haben meine Schwester Eve noch nicht kennen gelernt."

Schon hatte Bennett Eves Hand ergriffen. Sein Handkuss dauerte nur Sekunden länger als der, den er Christina gegeben hatte. Aber auch Sekunden können eine Ewigkeit sein. Er bemerkte das lange, füllige, dunkle Haar, den verträumten Blick der blauen Augen, den herrlichen Schwung von Eves Lippen. Er verlor sein junges Herz sehr schnell.

„Ich freue mich, Sie kennen zu lernen, Eure Hoheit." Eves Stimme war nicht mehr mädchenhaft, sondern wohlklingend und voll. Die Stimme einer Frau.

„Du siehst hinreißend aus, Eve." Gabriella umarmte

auch Eve, um so ihren Bruder abzuschütteln. „Ich freue mich, dass du mitgekommen bist."

„Es ist alles so, wie du es beschrieben hast." Eve sah Gabriella strahlend und begeistert an. „Ich konnte gar nicht so schnell nach rechts und links schauen."

„Lassen Sie sich Zeit." Sanft schob Bennett seine Schwester beiseite. „Ich werde Ihnen Cordina zeigen. Chris und Brie haben sich bestimmt eine Menge zu erzählen." Er machte eine angedeutete Verbeugung vor den beiden anderen Damen, nahm Eve an der Hand und verließ mit ihr den Saal.

„Was darf ich Ihnen zuerst zeigen?"

„Naja, er vertrödelt keine Zeit." Gabriella sah den beiden nach und war sich nicht sicher, ob sie über das Paar zufrieden oder besorgt sein sollte.

„Eve ist einem Flirt auch nicht abgeneigt." Christina tippte mit ihrer Schuhspitze auf den Boden, aber dann wandte sie ihre Aufmerksamkeit Brie zu. Schließlich war sie nicht als Eves Anstandsdame nach Cordina gekommen. „Wie beschäftigt bist du?"

„Nicht sehr", antwortete Gabriella und ging in Gedanken ihren Tagesablauf durch. „Nur morgen werde ich wohl kaum Zeit zum Luftholen haben."

„Dann lass uns jetzt die Gelegenheit nutzen." Christina hakte sie unter. „Können wir wie früher bei dir sitzen und miteinander sprechen? Ich kann es kaum glauben, dass bereits ein ganzes Jahr vergangen ist. Es gibt so viel zu erzählen."

Wenn du nur wüsstest, dachte Gabriella und ging mit Chris zu ihren Räumen.

„Erzähle mir alles über Reeve", forderte Christina die Freundin auf und nahm einen Schluck Tee aus der zierlichen Porzellantasse.

Abwesend rührte Gabriella mit dem Löffel in ihrer Tasse, obgleich sie vergessen hatte, Zucker hineinzutun. „Ich weiß nicht, was ich dir erzählen sollte."

„Einfach alles", antwortete Christina theatralisch. „Ich platze schon vor Neugierde. Wie er aussieht brauchst du mir allerdings nicht zu beschreiben, denn jedes Mal, wenn ich eine Zeitschrift zur Hand nehme, guckt mir sein Foto entgegen. Ist er ein netter Kerl?"

Gabriella dachte an den Tag, den sie mit Reeve auf dem Boot verbracht hatte und an die gelegentlichen Ausflüge entlang der Küste. Sie dachte an die Empfänge, die sie gemeinsam besuchten und bei denen er ihr boshafte, aber äußerst zutreffende Dinge ins Ohr flüsterte. Sie musste lächeln. „Ja, er ist ein netter Kerl. Stark, klug und reichlich arrogant."

„Welch aufregende Mischung", meinte Christina und beobachtete Gabriella. „Ich freue mich für dich!"

Gabriella versuchte zu lächeln, aber es missglückte

ihr etwas. Sie hob ihre Teetasse. „Du wirst ihn ja bald kennen lernen. Dann kannst du dir deine eigene Meinung über ihn bilden."

„Ich bin nur froh, dass er dir nach deiner ..." Christina verstummte und stellte ihre Tasse ab. Dann ergriff sie anteilnehmend Gabriellas Hand. „Brie, ich wünschte, du würdest davon erzählen. In der Zeitung steht nicht viel. Ich weiß, dass man die verantwortlichen Leute noch nicht gefasst hat und das passt mir absolut nicht."

„Die Polizei hat ihre Untersuchungen noch nicht beendet."

„Aber sie haben doch niemanden dingfest gemacht. Kannst du so lange ruhig bleiben? Ich könnte es nicht."

„Nein." Gabriella konnte nicht mehr länger sitzen bleiben. Sie stand auf und verschränkte ihre Hände. „Nein, das kann ich nicht. Ich habe versucht, mein normales Leben weiterzuführen, aber es ist wie ein Warten ohne Ende und ohne Gewissheit."

„Oh, Brie! Ich will dich ja nicht drängen, aber wir haben unsere Sorgen immer geteilt." Chris sprang auf und umarmte die Freundin. „Ich hatte so viel Angst um dich." Tränen traten ihr in die Augen, aber sie wischte sie ungeduldig fort. „Verflixt ich hatte mir so vorgenommen, nicht zu weinen, aber ich kann es nicht verhindern. Wenn ich nur daran denke, wie ich mich fühlte, wenn ich die Schlagzeilen in den Zeitungen sah ..."

Gabriella versuchte, sie zu beruhigen. „Du solltest nicht mehr daran denken. Es ist ja jetzt vorbei."

Christinas Tränen versiegten, aber sie war irgendwie irritiert. Sie fühlte sich verletzt und wusste nicht so recht, warum. Sie griff nach ihrer Handtasche. „Es tut mir Leid. Manchmal ist es zu einfach, nicht daran zu denken, wer du bist und nach welchen Gesetzen dein Leben verläuft."

„Nein, bitte geh noch nicht, Chris. Ich brauche unbedingt jemanden, mit dem ich reden kann. Wir sind doch gute Freundinnen, nicht wahr?"

Christina war jetzt vollends verwirrt. „Brie, du weißt doch ..."

„Nein, beantworte nur meine Frage."

Christina stellte ihre Tasche auf den Tisch zurück. „Eve ist meine Schwester", entgegnete sie ruhig. „Ich liebe sie. Es gibt nichts auf der Welt, was ich nicht für sie tun würde. Und genauso empfinde ich für dich."

Gabriella senkte den Blick, ehe sie Christina wieder voll ansah. „Bitte, setz dich." Sie wartete, bis Chris Platz genommen hatte, dann ließ sie sich neben ihr nieder, holte tief Atem und erzählte ihrer Freundin alles, was geschehen war.

Im Verlauf von Gabriellas Bericht wurde Chris immer bleicher und sah die Prinzessin entsetzt an. Gelegentlich unterbrach sie Gabriella, um eine Frage zu stellen. Als Gabriella ihre Schilderung beendet hatte, verharrte Christina eine Weile in reglosem Schweigen. Sie wirkte wie ein Vulkan kurz vor der Explosion.

„Hier ist etwas faul", platzte sie dann plötzlich in ihrem weichen Texas-Akzent heraus, so dass Gabriella sie verblüfft anstarrte.

„Wie bitte?"

„Hier ist etwas faul", wiederholte Christina. „In der Politik ist das ein normaler Zustand, und wir Amerikaner sind die Ersten, die das laut sagen, aber an dieser Geschichte ist wirklich etwas faul."

Christinas eindeutige Meinungsäußerung tröstete Gabriella etwas. „Ich kann nicht nur politische Erwägungen dafür verantwortlich machen. Immerhin habe ich dem ganzen Spiel selbst zugestimmt."

„Was um Himmels willen hättest du denn anderes tun sollen? Damals warst du noch schwach, verängstigt und verwirrt."

„Ja", flüsterte Gabriella. „Ja, das war ich." Sie sah Christina zu, die zu einer Anrichte gegangen war und dort einige Karaffen hochhob.

„Ich brauche jetzt einen Cognac." Mit Schwung goss Chris zwei Gläser voll. „Und du auch."

Gabriella nickte zustimmend. „Ich wusste nicht einmal, dass dort welcher steht."

„Jetzt weißt du es."

Gabriella hob ihr Glas und prostete Christina zu. „Vielen Dank."

„Ich wäre schon vor Wochen hier gewesen, hätte ich mich nicht anderweitig überreden lassen. Ich wünschte, ich könnte deinem wundervollen Reeve MacGee, diesem Loubet und selbst deinem Vater deutlich meine Meinung sagen."

Gabriella hielt lachend ihr Glas hoch. „Ich kann mir vorstellen, dass du das tun würdest." Einen Menschen wie Christina hatte sie in ihrer Nähe gebraucht, um dem Druck standzuhalten, der durch die Abschirmung seitens der Männer ihrer Umgebung auf sie ausgeübt wurde.

„Und ob ich das könnte. Ich wundere mich nur, dass du das nicht gemacht hast."

„Oh doch, das habe ich auch."

„Nun, das klingt wieder mehr nach dir."

„Das Problem ist nur, dass mein Vater tut, was er für mich und sein Volk für das Beste hält. Loubet tut nur Letzteres. Ich kann es keinem der beiden übel nehmen."

„Und Reeve?"

„Reeve?" Gabriella sah Christina über ihr Glas hinweg an. „Ich liebe ihn."

„Oh", sagte Christina gedehnt. Dabei sah sie Gabriella prüfend an. Sie hatte sich bereits entschieden, so lange in Cordina zu bleiben, bis alles zu einem glücklichen Ende gekommen sein würde. Jetzt war sie sich ganz sicher. „Dieser Teil der Geschichte ist wenigstens Wirklichkeit."

„Nein. Nur meine Gefühle sind echt. Der Rest ist, wie ich es dir geschildert habe."

Gabriella vermied es, bei dieser Antwort auf ihren Ring zu sehen.

„Ach, das ist doch kein Problem."

Gabriella war nicht nach Mitleid zu Mute, aber wenigstens ein bisschen Sympathie hatte sie erwartet. „Wieso nicht?"

„Natürlich nicht. Wenn du ihn haben willst, dann bekommst du ihn auch."

Gabriella sah Christina amüsiert an. „Und wie, bitte?" fragte sie neugierig.

Chris nippte an ihrem Cognac. „Ich werde dich nicht an all die Männer erinnern, die du dir früher aus dem Weg schaffen musstest. Das wäre nicht gut für mein Selbstbewusstsein. Und im Übrigen sind sie es nicht wert." Sie nahm einen weiteren Schluck aus ihrem Glas.

„Wer ist es nicht wert?"

„Die Männer." Chris kreuzte ihre langen Beine

übereinander. „Die Männer sind es nicht wert. Halunken, jeder von ihnen!"

Irgendwie kam Gabriella dieses Gespräch bekannt vor, als hätten sie sich schon früher darüber unterhalten. Sie konnte sich das Lachen nicht verkneifen. „Jeder?"

„Jeder, allerdings."

„Chris, ich bin froh, dass du gekommen bist", meinte Gabriella glücklich. Bei diesen Worten legte sie Christina eine Hand auf den Arm.

Chris beugte sich vor und streichelte der Freundin die Wange. „Ich auch. Warum kommst du jetzt nicht mit mir in mein Zimmer und hilfst mir, ein umwerfend aussehendes Kleid für heute Abend auszuwählen?"

Reeve fand Gabriella nicht in ihrem Zimmer, wo er sie suchte. Aber er hörte, wie die Tür ihres Schlafzimmers geöffnet wurde und blieb stehen.

„Ja, vielen Dank, Bernadette. Lass mir bitte das Badewasser ein. Um meine Frisur kümmere ich mich selbst. Wir essen heute Abend en famille."

„Sehr wohl, Eure Hoheit."

Reeve hörte das Mädchen ins Badezimmer gehen. Kurz darauf rauschte Wasser in die Wanne. Vor seinen Augen tauchte das Bild von Brie auf, die sich langsam auszog. Eigenartig, dachte er, ich habe sie morgens gesehen, wenn sie sich nach einer gemeinsam verbrachten Nacht anzog, aber niemals, wenn sie sich entkleidete. Wenn er zu ihr ging, dann trug sie stets einen Morgenmantel oder ein Nachthemd, oder sie erwartete ihn bereits im Bett.

Von einem plötzlichen Verlangen getrieben, ging Reeve hinüber in das Schlafzimmer.

Gabriella stand vor dem Spiegel. Sie hatte ihre Kleidung noch nicht abgelegt. Aus einer kleinen Porzellandose auf ihrem Frisiertisch nahm sie gerade Nadeln, mit denen sie sich das Haar hochsteckte.

Sie macht einen nachdenklichen Eindruck, fand er. Gabriella hielt den Kopf leicht gesenkt und betrachtete sich bei ihrer Beschäftigung nicht im Spiegel. Ein kleines, zufriedenes Lächeln spielte um ihre Lippen. Ein Lächeln, das er so an ihr nicht allzu oft gesehen hatte.

Die Zofe kam aus dem Badezimmer und nahm einen Morgenrock aus dem Schrank. Hatte sie Reeve gesehen, der im Türrahmen stand? Wenn ja, ließ sie es sich jedenfalls nicht anmerken. Sie legte den Morgenmantel auf das Bett. Gabriella war jetzt mit ihrem Haar fertig.

„Vielen Dank, Bernadette. Ich brauche dich heute Abend nicht mehr. Aber morgen", fuhr sie mit einem verschmitzten Lächeln fort, „wirst du vor Erschöpfung umfallen."

Die Kammerzofe verbeugte sich und verließ das Zimmer. Leise schloss sie die Tür. Reeve stand wartend im Durchgang zum Wohnzimmer. Gabriella schloss das kleine Porzellangefäß und strich liebevoll über den emaillierten Deckel. Dann streifte sie mit einem verhaltenen Seufzer ihre Schuhe ab. Sie schloss die Augen und räkelte sich, drehte sich dann um und ging zu einem zierlichen Schränkchen, auf dem ihre Stereoanlage stand.

Leise, beruhigende Musik füllte gleich darauf den Raum. Gabriella ließ ihren Rock hinabgleiten und warf ihn aufs Bett. Dann öffnete sie die Knöpfe ihrer Seidenbluse und streifte sie sich von den Schultern. Noch ehe sie einen Träger ihres durchsichtigen Spitzenbüstenhalters lösen konnte, trat Reeve einen Schritt auf sie zu.

„Gabriella."

Wahrscheinlich wäre sie vor Schreck umgefallen oder hätte einen Schrei ausgestoßen, hätte sie diese Stimme nicht erkannt. Langsam drehte sie sich zu Reeve um. Er war nicht weit von ihr entfernt, und sein Verlangen schien den ganzen Raum zu erfüllen. Bewegungslos stand er da und betrachtete sie.

Gabriella fühlte, wie sich Begehren in ihr regte. Seine Blicke streichelten ihren Körper, und sie genoss die Bewunderung, die aus seinen Augen sprach. Ihre Erregung wuchs mit jedem Augenblick. Wortlos hielt sie ihm die Hand hin.

Schweigend ging er zu ihr hinüber, und ohne etwas zu sagen umarmten sie sich. Jedes Wort war überflüssig. Die Zärtlichkeit ihrer Berührungen, die Liebkosungen ihrer Fingerspitzen waren die Sprache ihrer Liebe.

Gabriella öffnete sein Hemd und streifte es ihm ab. Langsam öffnete Reeve ihren Büstenhalter und ließ ihn zu Boden fallen. Er küsste ihren Hals und streichelte sie mit seiner Zunge. Dabei zog er ihr mit erregenden Bewegungen das Höschen aus.

Spielerisch und betont langsam fuhr Gabriella mit ihren Fingerspitzen seinen Rücken hinunter und umfasste mit leichtem Druck seine Taille. Dann öffnete sie den Verschluss seiner Hose und streifte sie langsam, zögernd, als wolle sie jede Bewegung auskosten, hinunter. Sie streichelte über seine Hüften, sanft und genießerisch. So befreite sie ihn vom letzten Kleidungsstück.

Reeve zog Gabriella an sich und hob sie auf. Ihre Blicke verloren sich ineinander, während er sie zum Bett hinübertrug und vorsichtig darauf legte. Voller Sehnsucht nach der Vereinigung seufzte Gabriella auf und schmiegte sich an ihn, Reeves Leidenschaft wuchs. Mit weichen, kreisenden Bewegungen erkundete er jeden Zentimeter ihres brennenden Körpers.

Gabriella umfasste sein Gesicht mit beiden Händen und zog es zu sich herunter. Sie fanden sich in einem innigen, sich tief ergründenden Kuss. Sie schlang die Arme um seinen Hals, als er langsam, zart fühlend, rücksichtsvoll in sie eindrang.

Sie bewegten sich in absolutem Einklang miteinander, ruhig und zufrieden. Dies war ein Moment der Zärtlichkeit, nicht der hemmungslosen Begierde, in dem sie sich fanden. Wortlos genossen sie die Seligkeit des Augenblicks, das harmonische Miteinander ihrer Liebe.


Dann lagen sie erschöpft aufeinander. Das goldene Licht der untergehenden Sonne fiel durch die Fenster. Reeve legte ihr den Arm unter den Kopf und sah sie zärtlich an.

„Ich habe dich so vermisst."

Überrascht sah Gabriella ihm in die Augen. „Wirklich?"

„Ich habe dich heute kaum gesehen." Er strich ihr über das Haar.

„Ich dachte, du würdest in den Ballsaal kommen."

„Ich bin einige Male dort gewesen, aber du warst so beschäftigt." Ich kam nicht nur, um dich zu sehen, dachte Reeve, sondern auch, um die Sicherheitsmaßnahmen zu überprüfen. Er hatte drei bewaffnete Leute im Saal bei den Handwerkern untergebracht.

„Morgen wird es noch schlimmer sein." Zufrieden kuschelte Gabriella sich an ihn. „Es wird Stunden dauern, allein die Blumenarrangements aufzustellen. Und dann muss ich mich noch um die Getränke, das Orchester und die Speisen kümmern."

Sie verstummte. Reeve zog sie fester an sich. „Bist du nervös?"

„Ein bisschen. Es werden so viele Leute da sein, so viele Menschen, deren Gesichter und Namen ich kenne ... Ich frage mich, ob ich das durchstehen werde!"

„Du hast schon mehr geleistet, als man von dir hätte erwarten können. Jetzt entspann dich, und lass den Dingen ihren Lauf. Tu nur das, was du für richtig hältst, Brie."

Sie schwieg eine Weile, dann sagte sie mit Nachdruck: „Das habe ich bereits. Ich habe Christina Hamilton alles erzählt. Ich musste mich einfach mit einer Frau aussprechen."

„Hat es dir geholfen?"

Gabriella schloss kurz die Augen. „Ja. Chris bedeutet mir viel, jedenfalls empfinde ich es so."

„Wie hat sie reagiert?"

„Sie meint, an der Sache sei etwas faul." Gabriella kicherte leise. „Sie meint, man solle dir, Loubet und meinem Vater einmal gründlich die Meinung sagen."

Reeve lachte vor sich hin. „Sie scheint eine vernünftige Person zu sein."

„Das ist sie. Ich kann dir nicht beschreiben, wie sehr es mir geholfen hat, mich mit ihr zu unterhalten. Reeve, sie hat mich nicht so angesehen, als wäre ich krank, oder verrückt oder seltsam oder ... Ich, ich weiß nicht was."

„Sehen wir dich so an?"

„Manchmal schon." Gabriella strich sich eine Haarsträhne aus dem Gesicht. Sie warf ihm einen Blick zu, der um Verständnis bat. „Chris hat einfach nur zugehört, dann ihre Meinung dazu geäußert und mich schließlich gebeten, ihr beim Aussuchen eines Kleides behilflich zu sein. Alles war so natürlich, so selbstverständlich, so unkompliziert, als gäbe es keine unbeschriebenen Seiten zwischen uns. Wir waren einfach wieder gute Freundinnen. Ich weiß nicht, wie ich dir das erklären soll"

„Du musst nichts erklären. Aber ich werde mit ihr sprechen müssen."

Gabriella verzog den Mund. „Oh, ich glaube, darauf wartet sie förmlich." Sie küsste Reeve zutraulich auf die Nasenspitze. „Vielen Dank."

„Wofür?"

„Dafür, dass du mich mit all den Begründungen verschont hast, weshalb ich Christina nichts hätte erzählen sollen."

„Die Entscheidung darüber lag ganz allein bei dir, Brie."

„Wirklich?" Lachend schüttelte sie den Kopf. „Ich bin skeptisch. Aber mein Badewasser wird kalt", sagte sie und wechselte das Thema. „Du hast mich davon abgehalten."

„Ich habe es gern getan." Lächelnd strich Reeve mit einer Fingerspitze über die Linie ihres Halses hinunter bis zu ihrer Brust, die unter seiner Berührung zu erzittern begann.

„Wenigstens könntest du mir jetzt den Rücken waschen."

„Ein faires Angebot. Leider ist jetzt auch mein eigenes Badewasser kalt geworden."

„Das ist dein Problem." Gabriella drehte sich zur Seite und stand auf. „Ich habe mich schon manchmal gefragt, wie es ist, zu zweit zu baden. Die Wanne ist groß genug." Sie begann, ihre Haarnadeln wieder zu befestigen. Ihre Silhouette hob sich straff und jugendlich vor den letzten Sonnenstrahlen ab. Sie streckte die Hand aus. „Uns bleibt noch mindestens eine Stunde vor dem Abendessen."

## 12. Kapitel

*D*ie Menschen strömten in den Saal. Eine elegante, vornehme Gesellschaft war in den alten Mauern des ehrwürdigen Palastes zu Gast. Alle wichtigen Leute aus Kunst, Kultur, Wirtschaft und Wissenschaft gaben sich an diesem Abend in Cordina ein Stelldichein.

Die fünf venezianischen Kristallleuchter glänzten im Schein der Kerzen.

Der Duft aus Hunderten von Blüten, die in reich dekorierten Vasen und Bouquets gruppiert waren, mischte sich mit den betäubenden Parfums der juwelengeschmückten Damen. Aufwendigste Ballroben wetteiferten miteinander, und auf den eleganten schwarzen Cuts und Smokings der Herren prangten die vielfarbigen Orden und Auszeichnungen.

Gabriella machte die Honneurs und bemühte sich, ihre Müdigkeit zu vergessen. Sie hatte zwölf Stunden durchgearbeitet, um sicherzustellen, dass alles einen perfekten Verlauf nehmen würde. Jetzt war sie mit sich und ihrem Erfolg zufrieden.

Fürst Armand stand an ihrer Seite, er trug seine Paradeuniform. Gemeinsam begrüßten sie die Gäste, die ihr dezent einen Handkuss gaben und freundliche Worte mit ihrem Vater wechselten. Ein Meer von Gesichtern, eine endlos lange Namensliste, die Gabriella nur mit Mühe im Kopf behielt.

Wie herrlich sie aussieht, dachte Reeve, der Gabriella aus einiger Entfernung beobachtete. Sie trug ein weißes Kleid aus Musselin mit Satinschleifen, das ihre hohe Taille betonte. In ihrem asymetrisch ausgeschnittenen Dekollete funkelte eine Diamantenkette. Auf ihrem Haar thronte ein kleines Diamantendiadem, und an ihren Ohren schimmerten Brillanten und Saphire, die in Tropfenform gearbeitet waren. Und an ihrer Hand trug sie seinen Ring.

Wenn eine so strahlende Schönheit einem Mann ihre Aufmerksamkeit und Liebe schenkte, konnte man dann überhaupt noch einen Blick für eine andere Frau haben?

„Hast du sie gesehen?" flüsterte Bennett ihm ins Ohr, so dass nicht nur Reeve es hören konnte.

Er hatte nur Augen für Gabriella gehabt, aber er kannte Bennett. „Wen?"

„Eve Hamilton. Sieht sie nicht überwältigend aus?" fragte Bennett und Bewunderung sprach aus seinen Worten.

Alexander, der neben seinem Bruder stand, suchte die Menge mit den Augen ab, aber er war nicht Bennetts Meinung. Eve trug ein auffallend rotes, mit Falbeln besetztes Kleid. „Sie ist noch ein Kind", meinte er. Er fand, sie war ein frühreifes, vorlautes Kind.

„Du brauchst eine Brille", zischte Bennett zurück und gab einer ältlichen Dame einen vollendeten Handkuss.

Die Anzahl der Gäste schien unendlich. Gabriella stand es nur im Wissen durch, dass der ganze Aufwand ihrem GHBK-Hilfsfonds zugute käme. Als endlich der letzte Gast begrüßt worden war, atmete sie erleichtert auf.

Sie gab dem Orchester einen Wink, und die Musik begann mit einem langsamen Walzer. Sie reichte Reeve ihre Hand. Er würde den Ball jetzt mit ihr zum ersten und letzten Male eröffnen. Reeve geleitete sie zur Tanzfläche, und beide ließen sich vom Schwung und dem Rhythmus der Musik davontragen. Irgendwann würde auch diese Festlichkeit und damit auch ihr Traum beendet sein.

„Du bist wunderschön."

Sie drehten sich im Licht der Kerzen. „Karl Lagerfeld ist eben ein Genie."

Reeve tat etwas, was sich eigentlich in der Öffentlichkeit nicht schickte – er gab ihr einen Kuss. „Ich bezog mich nicht auf dein Kleid", wisperte Reeve ihr ins Ohr.

Gabriella lächelte ihn an und vergaß, wie müde sie eigentlich war.

Fürst Armand tanzte mit der Schwester eines Ex-

Königs, Alexander mit einer englischen Prinzessin, und Bennett schwebte mit Eve Hamilton durch den Saal.

Überall herrschte Fröhlichkeit und gute Stimmung, die Gäste amüsierten und unterhielten sich prächtig. Der Champagner floß reichlich, das Buffet barst über von all den Köstlichkeiten, die Küche und Keller hervorzuzaubern vermocht hatten.

Während Gabriella dann mit Dr. Franco tanzte, sah sie ihn lächelnd an und meinte schelmisch: „Versuchen Sie etwa, mir den Puls zu fühlen?"

„Unsinn", antwortete der Doktor, obwohl das in seiner Absicht gelegen hatte. „Man muss kein Arzt sein, um zu sehen, wie wohl Sie sich fühlen."

„Langsam habe ich auch den Eindruck, dass ich bald wieder völlig hergestellt sein werde."

Der Druck seiner Hand verstärkte sich ein wenig. „Haben Sie weitere Erinnerungen gehabt?"

„Wir sind jetzt nicht in Ihrer Sprechstunde", entgegnete sie charmant. „Und mit Ihrem Hörrohr werden Sie das auch nicht herausfinden. Ich fühle es ganz einfach."

„Dann hat sich das Warten ja gelohnt."

Ein flüchtiger Schatten glitt über Gabriellas Gesicht. „Das hoffe ich auch."

„Brie sieht sehr entspannt aus", sagte Christina zu Reeve, mit dem sie gerade tanzte.

„Ihre Anwesenheit hier hilft ihr offensichtlich."

Chris sah ihn kurz an. Obwohl sie sich bereits einmal unter vier Augen unterhalten hatten, war es Reeve nicht gelungen, Gabriellas Freundin restlos zu besänftigen. „Es wäre entschieden besser gewesen, wenn ich früher hier gewesen wäre."

Chris gefiel ihm, vielleicht deshalb, weil sie ihm keine Antwort schuldig blieb. „Wollen Sie immer noch ein Hühnchen mit mir rupfen?"

„Ich werde darüber nachdenken."

„Ich tue nur das, was für Brie das Beste ist."

Chris sah ihn aufmerksam an. „Sie sind blind, wenn Sie nicht schon längst wissen, was das Beste für sie ist."

Geschickt bahnte Gabriella sich ihren Weg durch die Menge dorthin, wo sie in einer Ecke Janet Smithers still mit einem Weinglas in der Hand entdeckt hatte.

„Janet." Gabriella beachtete Janets Verneigung nicht. „Ich fürchtete schon, Sie hätten beschlossen, nicht zu kommen."

„Ich habe mich verspätet, Eure Hoheit. Ich hatte noch etwas Arbeit zu erledigen."

„Heute Abend wird nicht mehr gearbeitet." Gabriella sah sich um, ob ein passender Tanzpartner für Janet in der Nähe wäre. „Sie sehen hübsch aus", setzte sie hinzu. Janets Kleid war schlicht, aber nicht unattraktiv, und verlieh der Sekretärin eine gewisse Würde.

„Eure Hoheit!" Loubet trat zu den beiden und verbeugte sich. „Miss Smithers."

„Monsieur." Gabriella lächelte und fand, er sei genau der richtige Partner für Janet.

„Der Ball ist wie immer ein großer Erfolg", lobte er.

„Vielen Dank. Ihre Gattin sieht übrigens reizend aus!"

„Ja." Aus seinem Lächeln sprach Stolz und Zufriedenheit. „Aber sie hat mich verlassen. Ich hatte gehofft, Eure Hoheit würden sich meiner erbarmen und mir den nächsten Tanz schenken."

„Natürlich." Gabriella nippte an einem Sektglas und entdeckte plötzlich Alexander in ihrer Reichweite. „Leider habe ich ihn schon meinem Bruder versprochen." Sie zupfte Alexander am Ärmel, sah ihn beschwörend an und drehte sich dann wieder zu ihrer Sekretärin um. „Ich bin allerdings sicher, Miss Smithers wird es ein Vergnügen sein, mit Ihnen zu tanzen, nicht wahr, Janet?"

Sie hatte die beiden geschickt zusammengebracht und war zufrieden, dass auf diese Weise auch ihre Sekretärin tanzen konnte. Sie reichte Alexander ihren Arm.

„Das war aber nicht sehr taktvoll", meinte er.

„Aber es hat funktioniert. Ich will nicht, dass sie den ganzen Abend verlassen in einer Ecke herumsteht. Niemand scheint die Absicht zu haben, sie zum Tanz aufzufordern."

Alexander runzelte die Stirn. „Meinst du etwa mich?"

„Falls notwendig, ja. Die Pflicht zuerst, mein lieber Bruder!" Sie strahlte ihn an.

Alexander sah seiner Schwester über die Schulter. Loubets leichtes Hinken war beim Tanzen kaum zu bemerken. „Sie sieht nicht sehr erfreut aus, mit Loubet zu tanzen. Vielleicht hat sie doch etwas Geschmack, wer weiß?"

„Alex." Gabriella konnte sich das Lachen nicht verkneifen. „Ich habe dir noch gar nicht gesagt, wie gut du aussiehst. Du und Bennett. Wo steckt er eigentlich?"

„Er hat dieses kleine amerikanische Mädchen mit Beschlag belegt", berichtete Alexander etwas missbilligend.

„Kleines Mädchen? Ach, du meinst Eve." Seine Abneigung entging ihr nicht, und sie krauste die Stirn. „So klein ist sie gar nicht mehr. Im Gegenteil, ich glaube, sie hat dasselbe Alter wie Bennett."

„Er sollte es unterlassen, in aller Öffentlichkeit mit ihr zu flirten."

„Soweit ich sehen kann, beruht das auf Gegenseitig-keit."

Unwillig zuckte Alexander mit den Schultern. „Ihre Schwester sollte besser auf sie aufpassen."

„Alex." Gabriella verdrehte die Augen.

„Schon gut, schon gut." Er konnte es jedoch nicht unterlassen, die Menge nach Eve abzusuchen, bis er sie in ihrem roten Kleid entdeckt hatte. Und er behielt sie im Auge.


Gabriella wusste nicht mehr, wie viele Tänze sie getanzt hatte, wie viel Champagner sie getrunken und wie vie-len Geschichten und Scherzen sie zugehört hatte. Ihre ganze Nervosität war unnötig gewesen, wie sie jetzt sah. Es war ein berauschender Abend, den sie in vollen Zügen genoss.

Und sie war glücklich, wieder in Reeves Armen zu liegen und mit ihm im Tanz durch den Saal zu schwe-ben.

„Hier sind mir zu viele Leute", flüsterte er ihr ins Ohr. Langsam und sehr zielstrebig bewegten sie sich in Richtung der Terrassentüren. Plötzlich waren sie im Freien und tanzten im Mondlicht.

„Hier ist es herrlich", seufzte sie. Eine leichte Brise wehte und brachte den köstlichen Duft des Gartens zu ihnen herüber. „Hier fühle ich mich wohl."

„Eigentlich sollten Prinzessinnen immer im Mondlicht tanzen."

Gabriella musste lachen und strahlte Reeve an. Plötzlicher Schwindel überkam sie. Sein Gesicht verschwamm vor ihren Augen, alles um sie wurde schwarz. Reeve hielt sie in seinen starken Armen.

„Brie!" Er wollte sie zu einem Stuhl bringen, aber sie hielt ihn zurück.

„Nein, danke, es geht schon wieder. Mir war nur einen Moment lang unwohl. Es lag ..." Sie brach ab und starrte in sein Gesicht, als sähe sie es zum ersten Mal. „Wir waren hier", flüsterte sie mit erstickter Stimme. „Du und ich, genau hier, an meinem Geburtstag. Wir tanzten einen Walzer auf der Terrasse und überall standen Rosen in großen Kübeln an den Wänden. Es war sehr warm, und nach dem Tanz hast du mir einen Kuss gegeben."

Und ich habe mich in dich verliebt, dachte sie, sprach das aber nicht aus, sondern sah ihn nur weiter an. Sie hatte sich mit ihren sechzehn Jahren damals in Reeve verliebt. Jetzt, so viele Jahre später, hatte sich daran nichts geändert, und doch war alles ganz anders.

„Du erinnerst dich." Reeve hielt sie fest, da Gabriella zitterte.

„Ja, ich erinnere mich. Ich erinnere mich an dich",

setzte sie mit so leisem Ton hinzu, dass Reeve sich näher zu ihr beugen musste.

Er durfte sie jetzt nicht bedrängen, aber er fragte sanft: „Ist das alles, oder erinnerst du dich noch an etwas anderes? Nur an diesen Abend?"

Sie schüttelte den Kopf und hielt sich an ihm fest. Die Erinnerung schmerzte sie. „Ich kann nicht denken. Reeve, ich muss einen Augenblick allein sein, wenigstens eine kurze Weile."

„Gut."

Reeve warf einen Blick zurück in den Ballsaal, in dem die Menge hin- und herwogte. Dahin konnte er sie nicht zurückbringen. Rasch entschlossen brachte er sie zu einer anderen Tür am Ende der Terrasse. „Ich werde dich jetzt sofort auf dein Zimmer bringen!"

„Nein, mein Büro liegt näher." Sie hängte sich an seinen Arm und hatte Mühe, vorwärts zu gehen. „Ich möchte mich nur einen Moment hinsetzen und nachdenken. Da wird mich niemand stören."

Er brachte sie dorthin, weil es tatsächlich näher war und ihm so ausreichend Zeit blieb, den Arzt zu rufen. Außerdem konnte er Armand davon unterrichten, dass Gabriellas Erinnerungen zurückkamen und dass man den nächsten Schritt unternehmen müsse. Die Verhaftungen müssten in aller Stille erfolgen.

In einer dunklen Ecke machte Reeve eine Gestalt

aus, von der er wusste, dass es jemand war, der zu Gabriellas Bewachung dort stand.

Das Büro lag im Dunkeln, doch als er das Licht einschalten wollte, hielt Gabriella ihn zurück.

„Bitte nicht, ich möchte kein Licht haben."

„Ich werde hier bei dir bleiben."

Erneut widersprach sie ihm. „Nein, Reeve, ich möchte lieber allein sein."

Es fiel ihm schwer, sich nicht zurückgesetzt zu fühlen. Gut, aber ich werde den Doktor rufen, Gabriella!"

„Wenn es sein muss." Um nicht die Beherrschung zu verlieren, ballte sie ihre Hände hinter dem Rücken zu Fäusten. „Aber lass mich zunächst einige Minuten allein." Der Klang ihrer Stimme bedeutete ihm zu gehen.

„Bleib hier, bis ich wieder zurück bin. Ruhe dich aus."


Gabriella wartete, bis Reeve die Tür hinter sich geschlossen hatte. Dann legte sie sich auf das kleine Sofa in der Zimmerecke. Sie war nicht sehr müde, aber sie hatte das Gefühl, sonst das Gleichgewicht zu verlieren.

Sie verspürte eine starke innere Unruhe. Die Erinnerungen bedrängten sie, und zwar alle gleichzeitig. Sie hatte gehofft, dass es ihr Erleichterung bringen würde, sich wieder zu erinnern. Aber jetzt empfand sie nur Schmerz, Druck und Qual.

Sie sah ihre Mutter vor sich und deren Begräbnis. Sie fühlte grenzenlose Trauer, sah ihren Vater in seiner Verzweiflung und erinnerte sich, wie sie sich aneinander festgehalten hatten.

Ihr fiel ein Weihnachtsfest wieder ein. Bennett hatte ihr ein albernes Paar Schuhe geschenkt an dem unzählige kleine Glöckchen angenäht waren. Sie sah sich beim Fechten mit Alexander und erinnerte sich ihrer Wut, als er sie besiegte.

Das Bild ihres Vaters tauchte vor ihr auf, wie er sie in seinen Armen wiegte, wenn sie sich trostsuchend zu ihm geflüchtet hatte. Ihr starker, stolzer, ehrlicher Vater.

Gabriellas Tränen flossen ungehindert, als sich Erinnerung mit Erinnerung verband. Die Augen fielen ihr zu, und sie sank in einen Zustand zwischen Schlaf und Erschöpfung.

„Hören Sie mir zu." Das Geflüster ließ sie aufschrecken. Gabriella schüttelte den Kopf. Diese Erinnerung wollte sie verdrängen. Aber die Stimmen schwiegen nicht. „Es muss noch heute Nacht sein."

„Und ich sage Ihnen, dass es nicht gut gehen wird."

Das war keine ihrer Erinnerungen, erkannte Gabriella verschwommen, allerdings waren Erinnerungen damit verbunden. Die Stimmen waren in der Dunkelheit deutlich zu vernehmen, sie drangen durch das zur Terrasse offene Fenster.

Gabriella kannte dieses Flüstern. Ihre Tränen versiegten augenblicklich. Sie hatte sie schon einmal im Dunkeln vernommen. Und jetzt wusste sie, wer es war.

War sie so blind und dumm gewesen? Langsam richtete sie sich auf. Sie achtete darauf, kein Geräusch zu machen. Ja, sie erinnerte sich und wusste, wer da sprach. Ihr Gedächtnis arbeitete wieder, und aller Schmerz war gewichen, alle Angst. Sie verspürte nur noch Zorn, und dieses Gefühl war klar und sachlich.

„Wir werden genau nach Plan vorgehen. Sobald wir sie herausgeholt haben, bringen Sie sie zum Bauernhaus zurück. Diesmal werden wir die Betäubung verstärken und sie gefesselt halten. Wir lassen sie ohne Wächter zurück, um jeden unnötigen Fehler zu vermeiden. Pünktlich um ein Uhr lassen wir dem Fürsten eine Nachricht zukommen. Dort im Ballsaal soll er erfahren, dass seine Tochter wieder entführt worden ist. Er wird dann schon wissen, welchen Preis er zu zahlen hat, um sie wiederzubekommen."

„Deboque."

„Und fünf Millionen Francs."

„Sie und Ihre Sucht nach Geld." Die Stimme klang

sehr nahe. Sie sprach tief und voller Verachtung. Gabriella schätzte die Entfernung zur Tür ab und wusste sie musste noch abwarten. „Das Geld ist nicht von Bedeutung."

„Ich werde die Genugtuung haben, zu wissen, dass Armand es zahlen musste. Nach all den Jahren und der verflossenen Zeit wird das meine Wiedergutmachung sein."

„Rache!" Die Verbesserung klang nicht einmal boshaft. „Aber Rache sollte sich nie von Gefühlen leiten lassen. Es wäre klüger, ihn umbringen zu lassen."

„Es war mir eine viel größere Befriedigung zu sehen, wie er gelitten hat. Erledigen Sie nur Ihren Teil, aber den gut, sonst bleibt Deboque im Gefängnis."

„Ich werde meine Rolle spielen. Wir werden beide bekommen, was wir wollen."

Sie hassen sich, dachte Gabriella. Warum war ihr das nicht früher aufgefallen? Plötzlich war alles so klar. Selbst am heutigen Abend hatte sie sich noch mit den beiden unterhalten und keinen Verdacht geschöpft.

Sie saß ganz still da und hörte ihnen zu. Aber jetzt war nur noch das Geräusch sich entfernender Schritte zu vernehmen. Die Verschwörer hatten sie und ihren Vater übel missbraucht. Sie hatten ihnen Anteilnahme und sogar Zuneigung vorgetäuscht. Damit wäre es jetzt vorbei.

Lautlos bewegte sie sich durch das Zimmer. Sie musste ihren Vater finden und ihm von den beiden berichten. Sie sollten sie nicht noch einmal in ihre Gewalt bringen. Gabriella drückte die Klinke herunter, öffnete die Tür, und sah sich plötzlich jemandem gegenüber.

„Oh, Eure Hoheit." Ein wenig verblüfft trat Janet zur Seite und verneigte sich. Ich hatte keine Ahnung, dass Sie hier sein würden. Ich wollte einige Unterlagen ..."

„Ich dachte, ich hätte Ihnen deutlich gesagt dass heute Abend nichts mehr erledigt werden sollte." Gabriellas Ton war scharf.

„Ja, Eure Hoheit, aber ich ..."

„Lassen Sie mich durch."

Gabriellas Stimme verriet sie, der kalte, befehlende, vor Ärger bebende Tonfall. Janet zögerte nicht eine Sekunde. Aus ihrer einfachen schwarzen Tasche zog sie blitzschnell einen kleinen Revolver. Gabriella hatte keine Gelegenheit mehr, sich zu schützen.

Janet drehte sich sofort um und richtete die Waffe auf den Mann, der mit gezogener Pistole aus dem Schatten auf der Terrasse trat. Sie schoss zuerst, und der Bewacher fiel verwundet zu Boden. Dann stieß sie Gabriella den Lauf in den Magen.

„Wenn ich Sie hier erschießen muss, dann werden Sie einen sehr langsamen und qualvollen Tod sterben."

„Es sind noch andere Wächter postiert", sagte Gabriella so ruhig wie möglich. „Überall im Palast."

„Dann werden Sie meine Bedingungen erfüllen müssen, wenn sie nicht noch mehr Verletzte oder Tote auf dem Gewissen haben wollen." Janet hatte nur einen Gedanken, die Prinzessin aus dem Gang wegzubringen, ehe jemand auftauchte. Sie konnte sie unmöglich am Ballsaal vorbeibringen. Also stieß sie Gabriella roh voran.

„Es wird Ihnen nicht gelingen, mich vom Palastgelände wegzubringen", warnte Gabriella.

„Es spielt keine Rolle, ob uns jemand sieht. Keiner der Wächter würde es wagen, auf uns zu schießen, solange ich Ihnen eine Pistole an den Kopf halte."

Der ganze Plan war zusammengebrochen, und Janet konnte es ihrem Komplizen nicht einmal mitteilen. Jetzt war es nicht mehr möglich, eine betäubte, bewusstlose Gabriella aus dem Seitenausgang des Palastes fortzuschaffen, während von ihnen bestochene Leute Wache hielten.

Und man konnte sie auch nicht mehr heimlich im Kofferraum des am Seitenausgang wartenden Wagens verstecken.

Es war ein gewagter, aber gut durchdachter Plan gewesen. Und jetzt stand sie, Janet, ganz auf sich allein angewiesen da.

„Was hatten Sie eigentlich vor?"

„Ich sollte Ihnen die Nachricht bringen, dass der Amerikaner Sie in Ihrem Zimmer sprechen wollte. Zu dem Zeitpunkt wollten wir ihn schon beiseite geschafft haben. Kaum wären Sie dort gewesen, hätten wir sie betäubt, und der Rest wäre ganz einfach gewesen."

„Das ist es jetzt nicht mehr."

Gabriella bemühte sich, nicht darüber nachzudenken, wie unbeteiligt Janet über den Mord an Reeve gesprochen hatte. Sie versuchte, ihre Gedanken zusammenzuhalten, während Janet sie näher zur Terrassentür und tiefer in die Dunkelheit vorausstieß.


„Das ist herrlich hier." Eve hatte beschlossen, nicht mehr unnahbar zu sein, sondern den Abend in vollen Zügen zu genießen. „Es muss himmlisch sein, jeden Tag in einem Palast zu leben."

„Es ist unser Zuhause." Bennett legte den Arm um ihre Schultern und sah mit ihr über die hohe Mauer. „Wissen Sie, ich bin noch nie in Houston gewesen."

„Da ist es ganz anders als hier." Eve holte tief Luft, ehe sie sich wieder zu ihm umwandte. Er sah so gut aus, so nett, ein wundervoller Begleiter für einen lauen Frühlingsabend, und doch ...

„Es gefällt mir, hier zu sein", sagte sie langsam. „Aber ich habe nicht den Eindruck, dass Prinz Alexander mich mag."

„Alex?" Bennett zuckte die Achseln. Er wollte keinen Gedanken an seinen Bruder verschwenden, wenn er neben einer so aufregenden jungen Frau im Mondschein stand. „Er ist ein bisschen steif, das ist alles."

„Sie sind das nicht. Ich habe eine Menge interessanter Sachen über sie gelesen", meinte Eve schmeichelnd.

„Die reine Wahrheit", spaßte Bennett und küsste Eve die Hand. „Aber jetzt habe ich nur noch Augen für Sie, Eve. So ein Ärger", unterbrach er sich, als er Schritte vernahm. „Man kann hier nirgends einen ruhigen Ort finden." Er wollte nicht gestört werden und zog deshalb Eve tiefer in den Schatten, gerade in dem Augenblick, als Janet die Prinzessin durch die Tür stieß.

„Ich werde keinen Schritt mehr tun, ehe ich nicht alles weiß." Gabriella drehte sich um und ihr weißes Kleid leuchtete im Mondlicht. Bennett sah den auf sie gerichteten Pistolenlauf.

„Oh, mein Gott." Rasch hielt er Eve den Mund zu, um sie zum Schweigen zu bringen. „Hören Sie mir zu", flüsterte er fast unhörbar in Eves Ohr und beobachtete dabei weiter seine Schwester. „Gehen Sie sofort in den Saal zurück und holen Sie meinen Vater, Alex oder

Reeve. Oder alle drei, wenn es geht. Machen Sie keinen Lärm, und vor allem beeilen Sie sich."

Er musste das Eve nicht zwei Mal sagen. Sie hatte die Pistole ebenfalls gesehen. Sie nickte, damit Bennett sie loslassen sollte.

Rasch schlüpfte sie aus ihren Schuhen und rannte barfuß und leise an der dunklen Seite des Gebäudes entlang, bis sie zu einer offenen Tür kam, dann war sie außer Sichtweite.

„Wenn ich Sie hier erschießen muss, haben wir beide nur Unannehmlichkeiten", erklärte Janet kalt.

„Ich will wissen, warum." Gabriella lehnte sich gegen die Wand. Sie wusste nicht, wie sie dieser Frau entkommen sollte. Dabei war es ihr schon einmal gelungen.

„Deboque ist mein Freund. Ich will ihn wiederhaben. Um Sie zurückzubekommen, würde Ihr Vater selbst den Teufel zum Tausch anbieten."

Gabriellas Augen wurden schmal. Janet Smithers verbarg ihre Leidenschaft sehr gut. Wie sind Sie durch die Sicherheitskontrollen gekommen? Jeder, der für meine Familie arbeitet, wird ..." Sie hielt inne. Die Antwort war einfach. „Loubet, natürlich."

Zum ersten Mal zeigte Janet ein zufriedenes Lächeln. „Natürlich. Deboque wusste über Loubet

Bescheid und über die Leute, die er bestochen hatte, für ihn zu arbeiten. Ein wenig Druck reichte aus, die Drohung, ihn vor Ihrem Vater bloßzustellen, und der tüchtige Staatsminister zeigte sich sehr kooperationsfreudig. Eine große Hilfe war auch Loubets Hass auf Ihren Vater und der Umstand, dass er sich mit der Entführung an ihm rächen konnte."

„Rächen? Für was?"

„Für den Unfall. Sie werden sich jetzt ja erinnern. Ihr Vater saß am Steuer. Er war jung und ein Draufgänger. Er und der Diplomat wurden nur geringfügig verletzt, aber Loubet ..."

„... hinkt immer noch", vollendete Brie den Satz.

„Nicht nur das. Loubet hat keine Kinder, und er wird auch mit seiner jungen, hübschen Frau keine haben können. Er muss es ihr zwar noch sagen, aber er befürchtet, dass sie ihn dann verlassen könnte. Die Ärzte versichern ihm, das hätte nichts mit dem Unfall zu tun, doch er redet sich etwas anderes ein."

„Er war also an dieser Entführung beteiligt, nur um meinen Vater zu strafen. Das ist grotesk."

„Der Hass treibt einen zu so mancher Handlung. Ich andererseits hasse niemanden, ich will nur meinen Freund zurück." Janet hielt die Pistole so, dass das Mondlicht darauf fiel. „Ich bin nicht verrückt, Eure Hoheit. Wenn es sein muss, dann drücke ich auf Sie ab."

„Wenn Sie das tun, bleibt Deboque, wo er jetzt ist."
Gabriella richtete sich auf und fasste Mut. „Sie können
mich nicht erschießen, weil ich Ihnen tot nichts nützen
würde."

„Da haben Sie Recht." Wieder funkelte die auf Gabriella gerichtete Waffe im Mondschein. „Aber wissen
Sie eigentlich, wie schmerzhaft eine Kugel sein kann,
selbst wenn kein lebenswichtiges Organ getroffen
wird?"

„Nein!"

Wütend und entsetzt sprang Bennett spontan aus
dem Schatten heraus. Seine Gegenwart überraschte sowohl Gabriella als auch Janet. Beide Frauen erstarrten,
und Bennett griff nach dem Revolver. Er hatte ihn fast
erreicht, da schoss Janet. Wie leblos fiel der junge Prinz
zu Boden und blieb bewegungslos liegen.

„Oh, mein Gott, Bennett!" Gabriella schrie auf und
kniete sich neben ihn. „Nein, nein, Bennett." Sein Blut
strömte auf ihr weißes Kleid, als sie ihn vorsichtig an-
hob und auf ihren Schoß bettete. Hastig griff sie nach
seinem Puls. „Nun schießen Sie schon", schrie sie
Janet an. „Sie können mir nichts Schlimmeres mehr
antun. Ich wünsche Sie und Ihren Liebhaber zum
Teufel."

„Da werden die beiden sich auch bald treffen", sagte
in diesem Augenblick Reeve lakonisch hinter ihnen.

Plötzlich lag die Terrasse im Scheinwerferlicht. Männer, bewaffnete Polizisten, standen überall.

Janet hielt ihnen die Pistole mit dem Griff entgegen. „Keine unnütze Aufregung", meinte sie kühl. „Ich bin ein praktisch veranlagter Mensch." Reeve nahm sie ihr ab. Auf sein Zeichen hin wurde sie von zwei Polizisten ergriffen und abgeführt.

Der Fürst war an die Seite seiner Kinder geeilt. „Oh, Papa", flüsterte Gabriella leise und streckte ihm die Hand entgegen. Armand kniete sich ebenfalls neben seinen Sohn. „Er hat versucht ihr die Waffe zu entreißen." Gabriella legte ihren Kopf an Bennetts Wange. Kommt der Arzt ..."

„Er ist schon hier."

„Aber, aber, Gabriella." Hinter ihr erklang Dr. Francos beruhigende Stimme. „Lassen Sie Bennett los, und machen Sie mir Platz." „Ich will ihn nicht allein lassen. Nein ..."

„Streite dich nicht mit ihm", bat Bennett mit schwacher Stimme. Ich habe die schlimmsten Kopfschmerzen der Welt."

Gabriella war den Tränen nahe, doch ihr Vater umarmte sie und drückte sie sanft an sich. „Nun gut", antwortete Gabriella, als sie sah, dass Bennett mühsam die Augen öffnete. „Soll er sich um dich kümmern. Ich habe es lange genug getan."

„Brie ..." Bennetts Hand ruhte einen Moment lang in der ihren. „Gibt es im Krankenhaus wenigstens ein paar hübsche Schwestern?"

„Mindestens ein Dutzend", brachte sie hervor.

Er seufzte und schloss die Augen wieder. „Ein Glück!"

Gabriella hielt Alexander den Arm hin. Dann lehnte sie sich an Reeves Schulter. Endlich war sie wieder zu Hause.


Er hatte Gabriella versprochen, den letzten Tag mit ihr auf dem Wasser zu verbringen. Das war alles, sagte sich Reeve, während die ‚Liberté' im frühen Morgenwind leicht dahinsegelte. Ein letzter Tag noch, ehe dieser Traum zu Ende ging, der auch sein Traum gewesen war.

Fast hätte das Ganze einen tragischen Ausgang genommen, dachte er, und war noch im Nachhinein geschockt. Man hatte gleich nach Eves Ankunft im Ballsaal Loubet verhaftet, aber Gabriella war so lange mit Deboques Geliebten allein gewesen.

„Ich kann noch immer nicht glauben, dass alles vorüber ist", sagte Gabriella leise.

Reeve hatte das gleiche Gefühl. Aber sie dachten jeder an etwas anderes. „Es ist vorbei."

„Loubet ... Beinahe tat es mir Leid für ihn. Er war

krank." Dann dachte Gabriella an seine hübsche, junge Frau und den Schock, den die arme davongetragen hatte. „Bei Janet war es Besessenheit."

„Sie waren Ungeziefer, keine Menschen", wandte er ein. „Fast wären sie zu Mördern geworden. Sowohl Bennett als auch der Leibwächter können von Glück reden."

„Ich weiß." In den vergangenen drei Tagen hatte auch sie sich unzählige Male bedankt. „Aber ich habe getötet."

„Gabriella."

„Nein, ich kann mich jetzt damit abfinden. Ich weiß, dass ich diese schrecklichen Tage und Nächte in diesem dunklen Raum verdrängen wollte."

„Du wolltest nichts verdrängen, aber du brauchtest deine Zeit", korrigierte Reeve sie.

„Jetzt redest du fast wie meine Ärzte." Sie klemmte die Ruderpinne fest, so dass sie Kurs auf ihre kleine Bucht nahmen. „Ich habe dir niemals von dem Kaffee erzählt oder davon, dass Janet behauptete, Nanny habe ihn für mich gemacht. Ich habe es dir deswegen nicht berichtet, weil ich es niemals für möglich hielt. Ihre Loyalität war viel zu stark."

„Das verstand aber Janet nicht!"

„Sie erzählte mir, Nanny habe ihn mir am Tag meiner Reise gebracht, und ich sei direkt danach abgefahren. Sie verschwieg natürlich, dass sie selbst mir die Flasche abgenommen und einen Stoß Briefe zum Unterzeichnen gegeben hatte. So hatte sie ausreichend Zeit, das Mittel hineinzuschütten.

„Sie rechnete nur nicht damit, dass Nanny deinem Vater ihren Verdacht mitteilen würde, nachdem Loubet und Deboques Cousin Henri dich auf dem kleinen Bauernhofe in ihre Gewalt gebracht hatten."

„Die gute Nanny. Die ganze Zeit hat sie mich beobachtet, und ich dachte, sie bemuttere mich nur übermäßig."

„Dein Vater ließ dich sehr gut beobachten, damit Loubet nicht noch eine Gelegenheit fände."

„Loubets Plan hätte auch funktioniert, wenn Henri nicht so trunkensüchtig gewesen wäre und ich nicht meine Suppe auf die Erde geschüttet hätte. Hätte ich die ganze Dosis der Droge geschluckt, dann hätte ich keine Kraft mehr gehabt, mir Henri vom Leibe zu halten und durch die Latten über dem Fenster auszubrechen. Aber es ist jetzt vorüber, und ich bin glücklich."

„Das ist alles, was zählt."

„Du weißt, dass Christina und Eve noch etwas länger hier bleiben werden. Wir müssen Eve wirklich sehr dankbar sein. Ich muss sagen, es macht mir Spaß, sie sich so in ihrem eigenen Ruhm baden zu sehen."

„Sie war bleich wie ein Laken, als sie in den Ballsaal gerannt kam. Aber sie verlor nicht eine Minute. Sie brachte uns direkt zu dir."

„Ich habe mich noch gar nicht richtig bei dir bedankt." Gabriella und Reeve waren in der Bucht angekommen und kappten das Segel.

„Du musst dich nicht bei mir bedanken."

„Ich möchte es aber. Du hast unendlich viel für mich und meine Familie getan. Das werden wir dir nie vergessen."

„Dein Dank ist überflüssig", sagte er kühl.

„Reeve, ich weiß, du bist kein Bürger Cordinas und unterstehst auch nicht unserer Gesetzgebung. Aber ich habe eine Bitte. In zwei Wochen habe ich Geburtstag, und an diesem Tag ist es Sitte in der fürstlichen Familie, dass man dem Geburtstagskind einen Wunsch erfüllt!"

„Welcher Wunsch ist das?" Reeve nahm sich eine Zigarette und zündete sie an.

So hatte Gabriella ihn gerne: ein wenig verärgert, ein wenig überheblich. Das erleichterte ihr ihre Absicht. „Würdest du mir zustimmen, wenn ich sagte, unsere Verlobung sei sehr populär?"

Er lachte kurz auf. „In der Tat."

„Ich für meinen Teil muss gestehen, dass mir der Ring, den du mir geschenkt hast, sehr gefällt."

„Dann betrachte ihn als Geschenk und behalte ihn", antwortete Reeve obenhin.

„Genau das habe ich vor." Sie erwiderte seinen kühlen Blick mit einem Lächeln. „Du weißt, mit meinen Beziehungen hier könnte ich deine Abreise verhindern."

Reeve drehte sich überrascht zu ihr um. „Worauf willst du hinaus?"

„Ich glaube, es wäre alles viel einfacher, wenn du mich wirklich heiraten würdest. Ich denke, ich werde darauf bestehen."

„Ist das so?"

„Ja, wenn du mir beipflichtest, bin ich sicher, können wir die Dinge im gegenseitigen Einvernehmen gestalten."

„Ich bin nicht an irgendwelchen Vorteilen interessiert."

„Unsinn. Wir könnten sechs Monate in Cordina und das andere halbe Jahr in Amerika leben", fuhr sie fort. „In jeder Ehe müssen Kompromisse geschlossen werden. Stimmst du mir zu?"

„Vielleicht!"

„Natürlich werde ich eine Menge Verpflichtungen haben. Aber sobald Alexander geheiratet hat, übernimmt seine Gattin die meisten Aktivitäten. Dann wird es kaum mehr als eine ganz normale Arbeit sein."

Reeve hatte genug von diesen Überlegungen. „Drück dich klarer aus." Er machte einen Schritt auf sie zu, aber sie wich zurück.

„Ich weiß nicht, was du meinst."

„Sag endlich, was du willst und warum."

„Ich will dich", antwortete Gabriella und reckte trotzig das Kinn. „Weil ich dich liebe und das schon, seit meinem sechzehnten Geburtstag, an dem ich dich im Mondschein geküsst habe."

Reeve spürte den Wunsch, ihre Wange zu streicheln, aber noch hielt er sich zurück. „Du bist nicht mehr sechzehn, und das hier ist auch kein Kindertraum."

„Nein."

„Auf dich wartet außerdem kein Palast in Amerika."

„Aber es gibt dort ein Haus mit einer großen Veranda. Lass mich dich nicht bitten. Wenn du mich nicht willst, dann sage es lieber gleich."

Jetzt sprach sie als Frau, nicht mehr als Prinzessin. Endlich war sie so, wie Reeve sie sich wünschte.

„Als du sechzehn warst und ich diesen Walzer mit dir tanzte, war es wie im Traum. Ich habe es nie vergessen. Als ich dann hier war und dich wieder küsste, da war es Wirklichkeit. Ich wollte nie etwas anderes als das."

Reeve ging zu Gabriella und nahm ihre Hände. „Ich habe nie eine andere Frau gewollt."

„Ich auch nicht", sagte sie ernst und sah ihm in die Augen.

„Heirate mich, Brie, und lass uns auf unserer Veranda sitzen. Wenn wir diese stillen Momente für uns beide haben können, dann kann ich auch mit Ihrer Königlichen Hoheit, der Prinzessin Gabriella von Cordina leben!"

Sie zog seine Hände an ihren Mund und küsste sie zärtlich. „Es ist vielleicht kein Märchen, aber lass uns bis an unser Lebensende glücklich miteinander sein."

*– ENDE –*

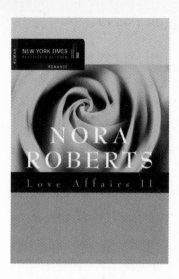

Band-Nr. 25028
7,95 €
ISBN 3-89941-036-X

*Nora Roberts*

Love Affairs II

*Tödlicher Champagner*
Sechs Monate lang soll die schöne
Pandora mit Michael Donahue, ei-
nem überaus sympathischen Dreh-
buchautor, zusammen wohnen.
Gelingt es ihnen, fällt Onkel Jolleys
gesamtes Vermögen an sie beide.
Trennen sie sich, erben die anderen
Verwandten – die neidisch auf das
Scheitern des Traumpaars lauern ...

*Spiel um Sieg und Liebe*
Als Amy drei Jahre nach ihrer Tren-
nung den Tennisprofi Tad auf einem
Turnier in Rom wieder sieht, muss
sie erkennen, dass sie damals einen
großen Fehler gemacht hat: Wie
konnte sie diesen Mann, den sie
noch immer liebt, nur wegen eines
anderen verlassen? Jetzt ist sie geschieden und wieder frei für Tad ...

*Bei Tag und bei Nacht*
Der unnahbare Grant Campbell,
der zurückgezogen am Rande des
Dorfes in einem Leuchtturm am
Meer lebt, fasziniert die junge
Malerin Gennie sofort. Sie schenkt
ihm ihr Herz, und wie durch ein
Wunder erwidert Grant ihre
Gefühle. Doch trotz der sinnlichen
Nächte, die sie miteinander ver-
bringen, offenbart er Gennie nicht
sein Geheimnis ...

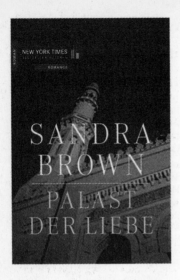

*Sandra Brown*

Palast der Liebe

Kaum ist Caren Blakemore, Sekretärin im Außenministerium, von einem Traumurlaub auf Jamaika zurück in Washington, beginnen die Probleme: Ihr wird vom FBI Spionage mit ihrem Urlaubsflirt, dem gut aussehenden Derek Allen, zur Last gelegt! Und plötzlich betritt Derek, den Caren noch auf Jamaika vermutete, den Raum. Allerdings trägt er jetzt arabische Tracht, und niemand will ihr glauben, dass sie nicht wusste, wer er wirklich ist: Prinz Ali-Al-Tasan, Sohn eines unermesslich reichen Ölscheichs, der gerade diplomatische Gespräche mit der amerikanischen Regierung führt. Eindringlich erklärt Derek, dass er nur einen Ausweg für sie sieht: Caren muss ihn heiraten und mit ihm auf sein herrschaftliches Anwesen ziehen ...

Band-Nr. 25030
6,95 €
ISBN 3-89941-038-6

MIRA®

Band-Nr. 25031
6,95 €
ISBN 3-89941-040-8

## Heather Graham

## Ruf der Leidenschaft

*Die Spur führt nach Marrakesch*
Die Journalistin Colleen McAllistair wittert eine heiße Story: Der Mord an einem Mann bringt sie auf die Spur eines Diamantenraubes, der vor vierzig Jahren begangen und bei dem die Beute nie gefunden wurde. Ohne ihrem Mann Bret etwas zu sagen, fliegt sie ins faszinierende Marrakesch, wo sie einen der Täter trifft und blind in eine Falle tappt. Bret, trotz der Spannungen in ihrer Beziehung zutiefst um Colleens Sicherheit besorgt, folgt ihr heimlich und kann sie aus Lebensgefahr retten ...

*Schneesturm*
Was verschweigt Justin Magnasun? Nach einer Nacht voll sinnlicher Erfüllung erzählt er der schönen Kristin endlich, was sich vor fünf Jahren ereignet hat. Seine Frau wurde ermordet, und der Verdacht fiel auf ihn. Zwar sprach man ihn in einem spektakulären Prozess frei – doch noch immer verfolgen misstrauische Blicke ihn im Dorf, weichen die Menschen ihm aus. Kristins Entschluss steht fest. Sie will den wahren Mörder finden, um die dunklen Schatten, die über ihrem Glück mit Justin liegen, für immer zu verbannen ...

MIRA®

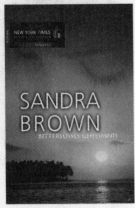

*Sandra Brown*
Bittersüßes Geheimnis
Band-Nr. 25005 · 5,95 €
ISBN 3-89941-005-X

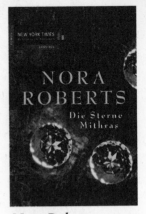

*Nora Roberts*
Die Sterne Mithras
Band-Nr. 25007 · 5,95 €
ISBN 3-89941-007-6

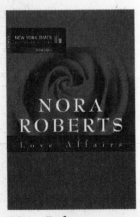

*Nora Roberts*
Love Affairs
Band-Nr. 25009 · 7,95 €
ISBN 3-89941-009-2

*Catherine Coulter*
Traummänner
Band-Nr. 25021 · 6,95 €
ISBN 3-89941-021-1